翻訳に挑戦！
名作の英語にふれる

河島弘美

JN019464

岩波ジュニア新書 983

はじめに

　この本を手にとってくださった皆さん、名作の英語にふれる、豊かな読書の世界へようこそ！

　いま皆さんは、それぞれどんな興味を持っていますか？

　翻訳（ほんやく）に興味があって、いつか自分でも翻訳をやってみたい、という人はたくさんいるでしょうね。

　私はこれまで長年の経験――実際の翻訳の仕事だけでなく、大学での翻訳入門の講義や翻訳研究ゼミの教室、一般の大人の方々対象の教養講座の場などでの経験――を通して、翻訳を志す（こころざす）人の多さをよく知っています。翻訳に関する本が世の中に多数出されていることも、それを証明していますね。熱心な人が増えているのは、とてもうれしいことです。

　でも、翻訳の練習は最初どこから、どのように始めればよいのだろう、と迷う人が少なくないのも事実です。そういう人たちに、翻訳とはどういうものかを実際に体験してもらう第一歩として、この本を企画しました。

　翻訳を前提に英文を熟読することによって、作品の新たな味わいを知ることができると思います。また、翻訳

の作業が英語の勉強になるのはもちろんのこと、日本語についても発見があるかもしれません。どうぞこの本を読みながら、翻訳というものをゆっくり楽しく体験してみてください。

　一方で、翻訳に挑戦するかどうかは別として、おもしろい小説を英語で読んでみたい、と思っている人も、きっと多いに違いありません。そういう人たちに楽しんでもらえるような、名作中の名作を紹介するのも、この本の目的の一つです。

　英語はそれぞれの作者が書いた原文のまま、手を加えていないので、「これはちょっと難しそう」という印象を持つ人もいるかな、と思います。そこで、「語句の意味」をていねいに示し、「和訳のポイント」として説明を加え、私の「訳例」も添えてあります。これらを参考にしながら作品の一節を読んでみてください。内容の理解とともに、原文の英語のニュアンスも味わっていただけると思います。

　一作一作、作品世界の雰囲気が大きく異なることにもきっと驚かれるでしょう。もし作品全体を読みたくなったら、ぜひ読んでいただきたいですし、自分でも訳せそうだと思ったら、この機会にチャレンジしてみるのも良いと思います。実際にやってみると、翻訳って意外におもしろいものですよ！

ここに選んだ名作は、英米の小説8編です。知っている作品も知らない作品もあるでしょう。これから読む人の楽しみを奪わないために、先のストーリー展開についてはできるだけふれないで作品を紹介するように工夫しました。「この後が気になる」「もっと先を読みたくなった」と皆さんに感じていただける作品が一つでも多いことを願っています。

　では、さっそく一緒に読んでみましょう！

目　次

はじめに

イラスト　一色真由美

レッスン1

『あしながおじさん』

"Daddy-Long-Legs" by Jean Webster

ユーモアあふれる十代の手紙文を訳す

作家・作品紹介

　ジーン・ウェブスター Jean Webster（1876-1916）は、アメリカのニューヨーク州に生まれました。本名はアリス・ジェイン・チャンドラー・ウェブスター（Alice Jane Chandler Webster）です。母は本書のレッスン 2 で読む『トム・ソーヤーの冒険』の作者マーク・トウェインの姪にあたる人で、父はトウェインとともに出版社を経営していました。名門女子大ヴァッサーカレッジに在学中から新聞にコラムなどを書き始め、卒業後、『あしながおじさん』（1912）、『続　あしながおじさん』（1915）で名声を得ます。1915 年に弁護士の男性と結婚し、翌年女の子を出産しますが、その直後に、40 歳を目前にして亡くなりました。

　代表作の『あしながおじさん』の主人公は、孤児院で育って 17 歳になるジェルーシャ（通称ジュディ）です。高校卒業前に書いた作文が、資産家である一人の評議員の目に留まって文才を認められ、その人から学費の援助を受けて大学に進学できることになります。大学生活について、毎月手紙を書いて報告することが援助の条件とされました。それでジェルーシャは、一度も会ったことのない評議員に宛てて、初めての大学生活でのさまざまな経験について書き送ることになります。こうした設定

図 1-1　ジーン・ウェブスター

の書簡形式の物語である『あしながおじさん』は、ジェルーシャの人柄を彷彿とさせる、明るくユーモアのある文章で、これまで多くの読者を魅了してきました。作者自身の手になる挿絵にも独特の味があります。

原文を読んでみよう part 1

　それでは、たくさんの手紙で綴られるこの物語の、一通目を読んでみましょう。

　英文は、まず普通の速度で一読してみてください。わからない言葉、知らない単語があっても、まだ辞書は使いません。最初は原文とまっすぐ静かに向き合うのです。気になる単語や調べたい単語に線を引く習慣がある人は、二回目か三回目に読む時に、どうぞそうしてくださいね。

1 *Dear Kind-Trustee-Who-Sends-Orphans-to-College,*

2 Here I am! I traveled yesterday for four hours in a
3 train. It's a funny sensation isn't it? I never rode in
4 one before.

5 College is the biggest, most bewildering place—I
6 get lost whenever I leave my room. I will write you a
7 description later when I'm feeling less muddled; also
8 I will tell you about my lessons. Classes don't begin
9 until Monday morning, and this is Saturday night.
10 But I wanted to write a letter first just to get ac-
11 quainted.

12 It seems queer to be writing letters to somebody
13 you don't know. It seems queer for me to be writing
14 letters at all—I've never written more than three or
15 four in my life, so please overlook it if these are not
16 a model kind.

語句の意味・和訳のポイント part 1

いかがでしたか？ 「知らない単語が多くて訳せそう
もない！」と思った人も、大丈夫です。ここからは、語
句の意味をくわしく説明していきますね。太字の英語の
前にある数字は、原文の行番号を示しています。

1 *Dear* 手紙の書き出しの形式的な語句です。「〜様」にあたります。相手の名前を Dear の次につけ、あとにカンマをつけて Dear John, のようにしてから改行すれば、そこから手紙の本文に入れるのです。

1 *Kind-Trustee-Who-Sends-Orphans-to-College* 普通なら、Dear に相手の名前をつけて「〜様」とするところなのですが、ここに出てくるのは関係代名詞 who を交えて、ハイフンでつないだ、妙に長くて見慣れない形ですね。これは普通ではありません！　それもそのはず、ジェルーシャは本名を知らない大人に宛てて手紙を書いているからです。直訳すると「孤児を大学に行かせてくださる親切な評議員」となります。「孤児」が複数形 orphans となっているのは、以前この評議員が孤児の男の子を大学に行かせたことがある、と聞いていたからでしょう。つまり、この人から学費の援助を受けたのはジェルーシャ一人ではないのです。本文と区別するためか、宛名がイタリック（斜字体）になっています。

2 Here I am! 「ただいま」「さあ、着いた」などに使います。ここでは「とうとう来ました！」くらいでも良いでしょう。最初の手紙の第一声から、ジェルーシャの元気のよさが伝わってきます。その感じを、このあとの訳にも生かしていけるといいですね。

3 funny 「愉快な、楽しい」、「不思議な、妙な」など

6

の入り混じった気持ちだと思います。

4 one　すでに出てきた名詞（可算名詞にかぎります）の繰り返しを避ける時に使います。ここでは？──そうです、a train ですね。

5 bewildering　「困惑させる、まごつかせる」の意味。最上級で強調しています。

6 get lost　「道に迷う、迷子になる」。

6 whenever　「～するたびに」。

6 leave　他動詞で「（ある場所を）離れる」という意味です。旅などに「出発する」ばかりとは限りませんよ。ついでに言うと、travel も「旅する」ばかりではないことを知っていましたか？　良い機会ですから、辞書で確かめておいてくださいね。

7 muddled　「混乱した」（=confused）。「程度がもっと少ない」の意味の less を見落とさずに、意味を正しくとってくださいね。

8 classes　いろいろの意味を持つ class ですが、ここでは「（大学での）授業、講義」です。

9 this is　ここでの this は、「いま」を指しています。

10 first　「まず」。

10 get acquainted　「知り合いになる」「お近づきになる」。

12 queer　「不思議な」「おかしな」です。類語に

strange や odd もありますが、queer は異様で奇怪な感じを意味することのある odd より、いっそう異常なニュアンスだと説明する辞書もあります。でも、ここでは？　それほど「奇怪な」ことが起きている様子はありませんね。ジェルーシャがやや大げさに言っている感じです。

13 you 「あなた」では、明らかにおかしいですね。you の持つ「一般人称（人一般をさす総称用法）」を思い出してください。one 同様、「人を」「人は（誰でも）」の意味ですが、日本語には普通、とくに訳しません。

14 at all 否定文に使うと「全然〜ない」ですが、肯定文だと「ともかく」の意味で、強調です。

15 overlook 「大目に見る」「許す」。

15 it 文中に it が出てきたら、何を指すか考える癖をつけましょう。ここでは後の内容、「（立派なものでなかったとしても）そのことを」です。

16 a model kind 「お手本のような種類」ですが、後ろに省略されている語はわかりますか？　ここで何の話をしているのだったか、前をよく読み直すとわかるでしょう。そうです、of letters ですね。

翻訳に挑戦！　訳例 part 1

　語句の意味がわかって、だいたいの内容がつかめたでしょうか。

　私の訳例を読む前に、できれば皆さんも、一度自分で訳文を書いてみてください。

　ここまでの説明を読んだうえで、辞書でも確認したり、ここに説明したこと以外にもわからない単語があれば調べたりしましょう。ひとつの単語について辞書にはたくさんの説明が載っていますが、文章全体を知ったうえで辞書を引くと、ここでの意味が絞られてきますね。

　こうして実際に訳してみてから次に進んで訳例を読むと、間違いなく理解が深まります。めんどうがらずに書いてみること、それが実は翻訳上達の一番の秘訣なのです！

　では、全体を訳してみます。

　孤児を大学へ行かせてくださる親切な評議員さま

　とうとう来ました！　昨日は四時間もの列車の旅でした。愉快で不思議な感じです。わたしは今まで、列車に乗ったことが一度もなかったのですから。

　大学はとても広くて、途方にくれるほどの場所です。

自分の部屋を出ると必ず迷子になってしまうんですから。
詳しい説明はいずれ、今の混乱がもう少し収まってから
書きますね。授業のことも、また書きます。授業が始ま
るのは月曜の朝からで、今は土曜の夜です。でも、まず
はお知り合いになるための手紙を書こうと思ったのです。

　知らない人に手紙を書くのはおかしな感じです。そも
そも、手紙を書くこと自体が、わたしにとっては奇妙な
感じ──生まれてからこれまでに、三通か四通くらいし
か手紙を書いたことがないからです。なので、わたしか
らお送りする手紙がお手本のように立派なものでなくて
も、大目に見てくださいね。

翻訳のアドバイス

　この訳文を読んで気づいたのは、どんなことでしょう
か。

　とくに自分の書いた訳文を手元に用意している人は、
比較によって気づくことが多いと思います。もちろん、
訳し方は一通りではありませんから、上の訳例と違って
いても間違いだと決めてかかる必要はありません。

　十人が訳せば十通りの訳ができると言えるほどで、ま
さに十人十色、まったく同じ訳文はないでしょう。

　それが翻訳のおもしろいところで、訳者の個性が（そ

して能力も！）訳文には自然と表れてしまうものなのです。

　翻訳をする時には、物語の設定された時代と場所、登場人物の生まれ育ちや性格、人物同士の関係、場面の状況など、いろいろ考えあわせなくてはなりません。

　ジェルーシャの年齢・育った境遇を思い出し、さらにこの手紙を書いている状況を想像してみてください。大学が初めてなのはもちろん、列車に乗るのも生まれて初めての経験だったのです。

原文を読んでみよう part 2

　手紙の続きを読んでみましょう。

1 Before leaving yesterday morning, Mrs. Lippett
2 and I had a very serious talk. She told me how to be-
3 have all the rest of my life, and especially how to be-
4 have toward the kind gentleman who is doing so
5 much for me. I must take care to be Very Respectful.
6 But how can one be very respectful to a person
7 who wishes to be called John Smith? Why couldn't
8 you have picked out a name with a little personality?

9 I might as well write letters to Dear Hitching-Post or
10 Dear Clothes-Pole.

語句の意味・和訳のポイント part 2

1 Mrs. Lippett 「リペット先生」。ジェルーシャのいた孤児院の院長先生です。手紙に書かれたその発言からは少々押しつけがましい傾向が感じられますが、もともとの性格か、あるいは職業柄<ruby>柄<rt>がら</rt></ruby>かもしれませんね。

2 how to 「どのように〜すべきか」「〜の仕方」。

3 all the rest of my life rest は「残り」ですから、直訳すれば「わたしの人生の残り全部」、つまり「この先、一生の間」。

5 Very Respectful 強調のため人名ふうに大文字を使っています。物語のこの前の部分でリペット先生がジェルーシャに言った、"I hope that they (=your letters) will always be respectful in tone..."(「手紙は常に尊敬を表す書き方でね」)という言葉を思い出しているのでしょう。

6 one 一般人称の「人」。ですが、含みを持たせた言い方として自分を指すこともあります。

7 John Smith 評議員は自分の本名を伏せたまま、手紙は「ジョン・スミス」宛てに書くよう院長先生に指示し

たとジェルーシャは聞かされています。ですからこの手紙も Dear Mr. John Smith と書き始めれば、それでよかったのです。でも、ジェルーシャはそうしていませんね。なぜでしょうか。その理由がこの箇所でわかります。John Smith というのは、英語圏ではもっともよくある苗字と男性名の組み合わせで、いかにも仮の名前をつけました、という感じが否めません。これではまったく個性が感じられず（もしかすると、名前なんか適当でいいだろうという、少々投げやりな印象を受けたのかもしれませんね）、敬意も親しみも持てないと嘆いているのです。

8 picked out　pick out は「選ぶ」。

9 might as well　「〜するようなものだ」「〜したほうがましだ」。

9 hitching-post　馬などをつなぐ柱・杭。

10 clothes-pole　物干し綱を張るための支柱。

翻訳に挑戦！　訳例 part 2

では、この部分の訳例を示します。

　昨日の朝、孤児院を出る前に、院長のリペット先生と大事な話をしました。わたしがこの先一生の間どう振る

図 1-2　ジーン・ウェブスターによる『あしながおじさん』イラスト

舞うべきか――とくに、わたしに大変よくしてくださった親切な紳士に対してどう振る舞うべきか、について、先生からお話がありました。おおいに敬意を表さなくてはいけませんよ、とのことなのです。

　でも、自分をジョン・スミスと呼んでほしいなどという人に対して、どうしたら敬意を表することができるでしょう。なぜもう少し個性のある名前を選べなかったのですか？　「つなぎ杭様」や「物干し柱様」に宛てて手紙を書くほうが、よっぽどましです。

結びに

　ジェルーシャが柱の類を持ち出したのは、まだ孤児院にいた時に、その人の姿をちらりと見かけた時の印象のためです。評議員はちょうど帰るところだったのですが、その影が車のヘッドライトによって引き伸ばされ、壁に細長く映し出されたのです。それが柱を連想させ、また

「長い脚の人」という特徴からDaddy-Long-Legs（脚の長いメクラグモ）につながり、その人を呼ぶあだ名「あしながおじさん」になります。知らない大人である評議員さんに出す初めての手紙であるにもかかわらず、緊張の中にもユーモアがありますね。作文の才能が評議員の目にとまり、学費を援助されるきっかけになったジェルーシャの、鋭い観察力とのびのびした性格がうかがわれます。

　こうしてスタートした大学生活は、どうなっていくのでしょうか。授業のこと、友達のことなど、日々の出来事や感想がジェルーシャのペンでどんなふうに綴られるのか、私たち読者も興味が尽きませんし、楽しい毎日が続くように祈らずにはいられません。ジェルーシャの書く手紙は表現力豊かで、読者はすっかりひきつけられるはずです。
　物語はハッピーエンドで終わりますが、どんな結末が待っているのか、ここでは秘密にしておきましょう。読めば誰もがびっくりすることだけは、絶対に間違いありません！
　どうぞお楽しみに！

コーヒーブレイク 1

コンテクストって何のこと？

context（コンテクスト）というのは「（文中の語句の）前後関係」のことです。「文脈」、「状況」、「場面」などということもあります。文章を読むにあたっては、前後関係を無視するわけにはいきません。母語である日本語を使っている時、私たちは無意識のうちに前後関係を意識していますが、外国語を読む時、翻訳をする時には、それがさらに大事になります。日本語を読む時以上に意識して、周囲への目配りを忘れずに！

"Where have you been?"というセンテンスがあったとします。どう訳しますか？　英語のテストであれば「あなたはどこに行っていたのですか？」で正解。現在完了形の継続の用法であると理解していることが示せればよいのです。でも、翻訳をする人であれば、どんな状況で、誰が誰に向かって言っているのだろう、と考えるでしょう。これがコンテクストを考慮する、ということです。

　例えば、かくれんぼの鬼になって友達を探したものの、どうしてもあと一人見つけることができずに降参し、そ

の最後の一人が姿を現した時……「きみ、どこに隠れていたの？（あんなに一生懸命探し回ったのに不思議だなあ。ずいぶんうまく隠れたものだねえ）」とたずねるでしょう。

　何の連絡もせずに帰宅の遅かった子どもに対して、それまで家でずっと心配して待っていた親なら、玄関に立ったまま叱るでしょう……「もう、（こんな時間まで）あんた、いったいどこで何をしていたの？！」と。

　迷子になっていてやっと戻ってきたペットを迎える飼い主なら、思わず抱き上げて……「まったくシロちゃんったら、今までどこにいたのよ？（さんざん探したわ！とにかく、無事でよかった）」と笑顔で頬ずりするでしょうね。

　同じ疑問文でも、純粋に質問をしたいのか、非難や叱責などの感情が混じっているのか、相手からの答えをそれほど期待していないのか、心情が違えばそれによって口調も異なりますね。

　コンテクストに関して、別の例をもうひとつ挙げてみましょう。小泉八雲(1850-1904)の『怪談』の中の名作の一つ、「雪女」を読んだことがありますか？　八雲の怪談、というと、まるで日本人が日本語で書いたお話のように聞こえますが、そうではないのです。小泉八雲と

図 1-3　ハーンの没後 100 年に発行された切手（文化人郵便切手シリーズ，2004 年）．ハーンの肖像と『怪談』の初版表紙を組み合わせたデザイン

いうのは日本に帰化した時につけた名前で、それまでの名前はラフカディオ・ハーン。イギリス人の父とギリシア人の母との間に生まれ、作品も英語で書いています。ですので、もしあなたが『怪談』を日本語で読んだ覚えがあるとしたら、それは日本語に翻訳された形で読んでいたということになります。

　さて、その「雪女」の文中に ferry-boat という語が出てきます。物語の最初の部分です。

　武蔵の国のある村に、茂作と巳之吉という二人の木こりが住んでいました。

Every day they went together to a forest situated about five miles from their village. On the way to that forest there is a wide river to cross; and there is a ferry-boat.

二人は毎日一緒に、村から5マイルほど離れた森に行きました。森へ行く途中には渡らねばならない大きな川があり、そこには ferry-boat があります。

　この ferry-boat を、片仮名で「フェリーボート」と訳してはおかしいですよね。現代の人が「フェリー」と聞いたら、人と車を運ぶ船を考えてしまいます。ですが、「武蔵の国」と称される時代ですから、そのようなものではないでしょう。この少しあとを読めば、boatman という言葉が出てきますので、ヒントになるかもしれません。ここでの ferry-boat は「渡し舟」、boatman は「渡し守」または「船頭」とするのがふさわしいでしょう。このように、現在存在するものと同じ英単語が出てくる時は、とりわけ間違いやすくて危険ですね！　誤訳を未然に防いでくれる心強い味方は、コンテクストに目配りを忘れない習慣と、身についた常識です。

　さらに言えば、「5マイル」もこのままでは作品の世界に合いませんね。距離の単位マイル、長さの単位フィート（レッスン3 part 1 にあります）などはそのままにすることもありますが、ここでは5マイルが約8キロメートル、昔の日本の単位「里」なら二里なのを利用して、「二里」に置き換えるといいでしょう。

レッスン 2

『トム・ソーヤーの冒険』

"The Adventures of Tom Sawyer"
by Mark Twain

子どもの世界のおもしろさを味わう

作家・作品紹介

　マーク・トウェイン Mark Twain（1835-1910）は、アメリカのミズーリ州フロリダという村の開拓者の家に生まれました。本名はサミュエル・ラングホーン・クレメンズ（Samuel Langhorne Clemens）といい、六人兄弟の五番目でした。ミシシッピー河畔の小さい町ハンニバルで４歳からの子ども時代を過ごします。12歳の時に父を亡くし、学校をやめて、印刷所で金属の活字を組んで版を作る植字工（しょくじこう）の見習いになります。兄の経営する新聞に記事を書いたこともあり、南北戦争（1861-65）の前にはミシシッピー川の蒸気船の水先案内人として働きます。これは小さい頃からの憧れ（あこがれ）の仕事でした。ペンネームの「マーク・トウェイン」は、船の航行に必要な水の深さを確認する合図、「水深２ひろ」のかけ声なのです。

　その後、西部で新聞通信員となって、「ジム・スマイリーと飛び蛙（がえる）」や『赤毛布外遊記（あかゲット）』などの作品によって有名作家となりました。東部の富豪の娘オリヴィアと結婚、コネティカット州ハートフォードに住みますが、妻と娘たちに次々と先立たれるという不幸のせいもあったのか、晩年には厭世的（えんせいてき）な作風になりました。興味深い自伝も残し、75歳で亡くなっています。

　さて、代表作の一つである『トム・ソーヤーの冒険』

図 2-1 マーク・ト
ウェイン 1907 年
ごろ

（1876）とその続編『ハックルベリー・フィンの冒険』
（1884）は、どちらも冒険小説のジャンルに属すると考
えられ、いろいろなエピソードが次々に起こる形で書か
れています。二作とも、大人中心の文明社会への批判、
子どもの世界と自然への賛美という柱を持つ点が共通し
ています。それぞれの主人公トムとハックは仲の良い友
達同士で、両方の作品に登場します。おおらかでのんび
りした時間が流れる、古き良き時代のアメリカを感じる
場面も少なくありません。

　ただし大きな違いとして、『トム・ソーヤーの冒険』
が三人称で書かれているのに対し、『ハックルベリー・
フィンの冒険』はハック自身が口語で語る一人称形式で
あるため、より臨場感が増していると言えるでしょう。
また、『トム・ソーヤーの冒険』では自由で楽しい子ど
も時代への賛美が色濃く出ているのに対し、『ハックル

ベリー・フィンの冒険』になると大人の世界の問題がより深刻にかかわってきます。主人公ハックは、酒を飲んでばかりいる父親と二人きりで暮らしている浮浪児で、逃亡奴隷のジムと一緒に、筏でミシシッピー川を下る旅をしながら大人の世界の醜さや愚かさを思い知らされ、その体験を通して成長するというストーリーだからです。

　後に『武器よさらば』や『老人と海』などを書いた作家アーネスト・ヘミングウェイが、「すべての現代アメリカ文学は『ハック・フィン』という一冊の本に源を発している」と述べたことが知られていますが、出版当時は禁書処分にした図書館もあったほどの問題作でした。リアリズム文学の最高峰、もっともアメリカらしいアメリカ小説、などと言われることもあります。登場人物たちの使う、方言も混じる生き生きした言葉が大きな魅力です。

　また、自由と解放を求めて冒険を繰り返すトムとハックは、アメリカ文学における子どものイメージを大きく決定づけたとも言われています。

原文を読んでみよう part 1

　『トム・ソーヤーの冒険』の最初の方に出てくる、有名なペンキ塗りのエピソードの一節を読んでみましょう。

ある日トムは、学校をずる休みして泳ぎに行った罰として、母親代わりのポリーおばさんから板塀のペンキ塗りを命じられます。お天気の良い、夏の土曜日のことですから、さまざまなおもしろい遊びに出かけるに違いない友達連中のことが、トムは羨ましくてたまりません。どうしたら自分も自由な時間を手に入れられるだろうか――その時トムの頭に、ある名案が閃いたのです。

さっそくペンキ塗りの仕事にとりかかったトムのところに、仲間の一人であるベン・ロジャーズがやってきます。ベンは近隣の少年たちみんなの憧れである蒸気船ミズーリ号の真似をしながらトムに近づいて声をかけますが、トムは返事もせずに刷毛で塀をひと塗りしてはそれをじっと見つめて、出来ばえを確かめている様子です。ベンに「仕事を言いつけられたのか？」と重ねて聞かれて、さあ、トムはどう答えるでしょうか。

1   "Why it's you Ben! I warn't noticing."

2   "Say—*I*'m going in a swimming, *I* am. Don't you

3   wish you could? But of course you'd druther *work*—

4   wouldn't you? Course you would!"

5   Tom contemplated the boy a bit, and said:

6   "What do you call work?"

7   "Why ain't *that* work?"

8　Tom resumed his whitewashing, and answered
9　carelessly:

10　"Well, maybe it is, and maybe it ain't. All I know,
11　is, it suits Tom Sawyer."

12　"Oh come, now, you don't mean to let on that you
13　*like* it?"

14　The brush continued to move.

15　"Like it? Well I don't see why I oughtn't to like it.
16　Does a boy get a chance to whitewash a fence every
17　day?"

語句の意味・和訳のポイント part 1

1 why 疑問詞なら「なぜ」ですが、この語は常に疑問
詞とは限りません。これは「不意の発声・間投詞・感嘆
詞」などと説明される interjection の用法で、ここでは
驚きを表しています。

1 warn't =wasn't.

2 say これも間投詞で、"Oh！"や"Ah！"などの仲間
ですね。相手の注意を引く問いにも使います。前後をよ
く読んで、上手に訳し分けましょう。

2 *I* イタリック（斜字体）で強調されています。

2 going in a swimming go in は「とりかかる、始め

る」。a swimming=a-swimming=swimming.

2 *I* am　繰り返しで強調しています。

3 druther　=rather.

3 *work*　イタリックで強調されています。この後のイタリックの語も同じです。

5 contemplated　contemplate には「熟考する」の意味もありますが、ここでは「じっと見る」。

5 the boy　「その少年」って、誰ですか？　ベンに決まっていますよね。名前がちゃんとわかっているのに言い換えるのは、英語によくあることです。こういう時には「ベン」としてしまってかまいませんし、「相手」などとすることも考えられますが、どちらにしても「その少年」と訳すのはまずいでしょう。

7 ain't　"am not", "are not", "is not" の短縮形。

7 *that*　「それ」とは？　いまトムがやっているペンキ塗りを指しています。ベンはトムの返事にちょっといら立って、塀か刷毛を指さし、「だって、それって(言いつけられた手伝いの)仕事じゃないのか？」と言っています。形は疑問形でも、「ペンキ塗りなんて、(いやいややらされる)仕事に決まっているだろう」と、半分からかって言いたい気持ちが出ています。

8 resumed　resume は「再び始める」。

8 whitewashing　「白色塗料を塗ること」、つまりペン

キ塗りです。

9 carelessly 「無頓着に」、つまり何でもないことのように、という意味です。

12 come 命令形で怒りなどを表し、「よせ」という意味です。

12 let on 「〜であるふりをする」。

15 oughtn't =ought not. 「〜するのが当然」の意味の ought です。

16 Does a boy get a chance to whitewash a fence every day? 主語の boy に a がついているのは、このセンテンスが一般論であることを示しています。「塀のペンキ塗りをするチャンスを、子どもが毎日得るだろうか」が直訳。ですが、こう言い出すトムの真意を考えずに訳すと、ぼやけた訳になってしまいます。「子どもが塀のペンキ塗りをさせてもらえるチャンスなんか、毎日あるわけないじゃないか(それほど稀で貴重なことなんだぞ)」とトムは言いたいのです。

翻訳に挑戦！　訳例 part 1

では、全体を訳してみます。

「ああ、ベンか。気がつかなかったよ」

「あのさ、おれはこれから泳ぎに行くんだ。お前も行きたくないか？　だけどもちろん、仕事の方がいいんだろうな？　やっぱりな」

トムは、相手をちょっと見つめてから言った。

「仕事って、何のことを言ってるんだ？」

「だってそれ、仕事じゃないのか？」

トムはまた塗りながら、さりげなく言った。

「そうだなあ、仕事と言えば仕事だし、そうじゃないかもしれない。とにかく、トム・ソーヤーにぴったりだ、ってことだけは確かだよ」

「よせよ、まさか好きだっていうふりをしようっていうんじゃないだろうな」

その間も、刷毛の動きは止まらなかった。

「好き？　好きでいけない理由はないと思うよ。子どもが塀のペンキ塗りをさせてもらえるチャンスなんて、毎日あるわけじゃないだろう？」

翻訳のアドバイス

小さな田舎町に住む少年の日常が生き生きと描かれていて、会話が実際に聞こえてくるような気がするほどです。せっかく登場人物が話しているのですから、上手に訳したいものですね。どうしたら会話をうまく訳せます

か、と質問されることがあります。もちろん、始めから上手に訳せる人はいませんし、こうすれば絶対にうまくいく、という魔法があるわけでもありません。

　でも、まず英語をしっかり読み込んでいれば、そしてその人物と会話のコンテクスト（状況、背景、前後関係。コーヒーブレイク1「コンテクストって何のこと？」でもお話ししましたね）をよく理解していれば、その人物の話し声は自然とこちらの耳に聞こえてくるものですよ！　人物が目に浮かび、声が聞こえるような気がする時、会話を翻訳するのはとても楽しい作業です。

　ベンがトムに向かって話す時は「おれ、お前」としましたが、この点は迷いがありませんでした。続きの部分に出てきますが、トムには「ぼく」と言わせることにしました。

　英語では"I"ですが、皆さんの耳にはどう聞こえますか？　家庭でのポリーおばさんのしつけの努力が功を奏して「ぼく」と言っているか、あるいは親友ハックと調子を合わせて「おれ」と言っているか、どうでしょう。

　ちなみに、やっと一人称の「ぼく」を使えるようになったばかりの小さな男の子が、年上の友達や園児仲間の使う「おれ」に気づいて、そんな相手の前では「おれ」と言っている場面を、私は実際に身近で見たことがあり

ますが、背伸びして得意げな気持ちがうかがわれて微笑
ましいものでした。日本語、おもしろいですね！

原文を読んでみよう part 2

続きを読んでみます。

1　That put the thing in a new light. Ben stopped
2　nibbling his apple. Tom swept his brush daintily
3　back and forth—stepped back to note the effect—
4　added a touch here and there—criticised the effect
5　again—Ben watching every move and getting more
6　and more interested, more and more absorbed. Pres-
7　ently he said:

8　"Say, Tom, let *me* whitewash a little."

9　Tom considered, was about to consent; but he al-
10　tered his mind:

11　"No—no—I reckon it wouldn't hardly do, Ben.
12　You see, Aunt Polly's awful particular about this
13　fence—right here on the street, you know—but if
14　it was the back fence I wouldn't mind and *she*
15　wouldn't. Yes, she's awful particular about this fence;
16　it's got to be done very careful; I reckon there ain't

₁₇ one boy in a thousand, maybe two thousand, that
₁₈ can do it the way it's got to be done."

語句の意味・和訳のポイント part 2

1 that 何をさしていますか？ 「その言い方」、つまりトムの発言です。

1 the thing 「そのもの・こと」。漠然(ばくぜん)としていますが、いま話題になっているペンキ塗りですね。

1 light 「光」ですが、いろいろな意味に使われます。ここでは「見方、観点」くらいでしょうか。トムの言ったことによって、ペンキ塗りという行為がまったく違った見方で見られるようになったというのです。

2 nibbling nibble は「少しずつかじる」で、stop 〜ing ですから、「かじるのをやめる」となります。

2 daintily 「細かく気を配って」「几帳(きちょう)面(めん)に」。自分はいま、とても大事な仕事をしている、という雰囲気(ふんいき)を出そうとしているのがわかりますね。

4 criticised criticise は「批評する、あらさがしをする」。

8 say 相手の注意を引こうとしています。「ねえ」「ちょっと」「おい」。part 1 にもありましたね。

8 *me* イタリックになっていますね。強調しています。

9 about to 「まさに〜しようとする」。

9 altered his mind 「気が変わった」。トムは、いったん承諾するような様子を見せておいて、気が変わったふりをしているのですね。相手をじらす作戦の一環です。

11 reckon 「思う、考える」。

11 it wouldn't hardly do 準否定語である not と hardly、二つ否定語が重なっているのは、強く否定したいという気持ちの表れです。

12 you see 「ねえ」「ほら」などと挿入句的に使う時もあれば、「だって〜だから」と説明に使うことも。ここでは後者です。

12 Aunt Polly 「ポリーおばさん」。トムが一緒に暮らすおばさんです。亡くなった妹の遺児であるトムをきちんと育てることが自分の義務だと心得ていて、いたずらっ子のトムを良い子にするため、日頃から心を鬼にしてしつけようとしています。

12 awful 「とても」の意味で使われている副詞的強調語。口語的です。

12 particular 「口やかましい」「好みのうるさい」。

13 you know 念を押して「〜ですからね」というニュアンスです。

18 the way it's got to be done 「なされるべきやり方で」。つまり「きちんと」。

翻訳に挑戦！　訳例 part 2

では、訳例をお見せしましょう。

　ここでペンキ塗りの仕事は、新しい見方をされることとなった。ベンはリンゴをかじるのをやめた。トムは刷毛を注意深く往復させると、後ろに下がって出来ばえを確かめ、そこここに手を加えては、もう直すところがないか調べた。その動きをじっと見守っていたベンは、次第に興味をそそられ、いっそう心を奪われていった。やがてベンは言った。

　「ねえ、トム。おれにもちょっとだけやらせてくれよ」

　トムは考え、もう少しで承諾するところだったが、気が変わった。

　「いや、だめだ。そうはいかないよ。だってポリーおばさんは、この塀についてすごくうるさいんだ。通りに面しているからね。もし裏の塀だったら、ぼくはかまわないし、おばさんも気にしないだろうけどさ。ほんとに、この塀にはやかましいから、気をつけてやらなきゃならないんだ。これがちゃんとやれる子どもは、千人に一人、いや二千人に一人もいやしないと思うよ」

結びに

　トムの賢さがよくわかりますね。ただのわんぱく少年ではありません。とくにこのエピソードを読むと、仕事とは何かということまで考えさせられます。最初はトム自身でさえ、いま自分の持っている宝物と交換する条件にしたって誰も引き受けてくれないだろう、と予想したペンキ塗り——それが発想の転換によって友達がこぞってやりたがる貴重な体験に変わり、この後、トムのほうはそれを順番に許可する代わりに、仲間たちから数々の宝物を受け取るという立場になれたのです。変われば変わるものですね。

　ここでトムは、「人に何かを欲しがらせようと思ったら、それが手に入れにくいものだと思わせさえすればいい」という法則を発見した、と作者は述べ、さらに「仕事はやらなくてはならないもの、遊びはやらなくてもかまわないもの」とも述べています。

　結果としてこの日のペンキ塗りは、予想外の早さで、しかも念入りに重ね塗りされて仕上がり、ポリーおばさんを驚かせることになりました。

　この後もトムはいろいろな事件や冒険を繰り返して、周囲を、そして読者を、ハラハラドキドキさせます。今もたくさんの子どもと大人に、世界中で読み継がれてい

る名作です。

　最初にご紹介したように『ハックルベリー・フィンの冒険』には、トムもまた登場します。マーク・トウェインの傑作を、二作品合わせてぜひ読んでみてくださいね。

コーヒーブレイク 2

作品の時代を知る

　文学作品を読む時、物語の舞台がいつどこに設定されているのかを意識することはとても大事です。日本文学を読む場合、私たちはたいてい、すっと物語の世界に入っていくことができます。それは日本について私たちが、比較的よく知っているからです。歴史の授業で学んだ知識や、これまでに本で読んだり、映画やドラマなどで見たりした経験によって、イメージもある程度頭に浮かびますし、知らない言葉が多少出てきても、前後から推理したりして読み進んでいけます。

　ただし、たとえ日本であっても、あまりよく知らない昔の時代が舞台だと、外国作品を読む時と同様の知識が必要になるかもしれません。外国語で書かれているならなおさらです。コーヒーブレイク 1「コンテクストって何のこと？」で例として挙げた「雪女」の中の ferry-boat はその一例で、舞台が日本でも油断はできないことがおわかりでしょう。

　翻訳をする場合には、日本以外の国を舞台にしたストーリーを主に扱うわけですので、さらに注意が必要とな

りします。勘違いや間違いを防ぐためには、舞台となっている場所や時代について調べ、予備知識を得ておくことが有効です。辞書も頼りになるでしょう。

　外来語のため日本語の中ではカタカナ表記される単語にも要注意で、馬車にも使う drive を、自動車の時代のことと思いこんで訳したりしてはいけません。

　翻訳の過程での調べものによって学ぶことも少なくありませんし、翻訳している原作自体がその時代について私たちに教えてくれる場合もあります。小説の書かれた当時はこんな考え方をしていたのか、こんな習慣があったのか、と驚くこともあり、それらは自分にとって未知の事柄ですから、原文をしっかり読んで、正しく訳出する必要があります。知っている範囲の情報だけを頼りにして中途半端にわかったつもりになるのは、とても危険です。SF などで描かれる未来の世界、『不思議の国のアリス』で展開されるような、現実を超越した世界など、原文を徹底的に読み込むほかはありません。

　私が実際に翻訳した作品の中で、現代から一番遠い時代の物語だったのが、アメリカの作家スー・ハリソンの書いた「アリューシャン黙示録」のシリーズでした（『母なる大地　父なる空』（晶文社、1995 年）がその第一作です）。何しろ舞台は紀元前七千年、氷河時代のアリュー

シャン列島なのです。「壮大なスケールの古代ロマン」と呼ぶべきこのシリーズを書くにあたって、作者のハリソンは研究・調査に長い年月をかけたそうで、その甲斐もあってアメリカでベストセラーになりました。私も作品に教えられ、また自分でもいろいろ調べたりして、この物語を日本の読者に届けられたことを幸せに思っています。

　読書の大きな楽しみの一つは、時も場所も超えた世界に旅をすることにあります。読者が途中で迷ったり困ったりすることなく、旅の楽しみに十分浸れるよう、翻訳者はそばに付き添うツアー・コンダクターとしての役割をきちんとつとめなくてはなりません。優秀な添乗員というものは、必要十分な情報を旅客に提供し、安全確保のための目配りをしながら微笑を絶やさず、旅の喜びを増すようにさりげなく努め、必要とあれば助けの手を差し出すという、旅人にとって頼りになる存在です。旅の終わりに、「おかげさまでよい旅ができました」と言ってもらえるような翻訳者になれるといいですね。

レッスン3

『最後の一葉』

"The Last Leaf" by O. Henry

ゆれる心を内に秘めた言葉を読む

作家・作品紹介

O・ヘンリー O. Henry（1862-1910）は、アメリカの
ノースカロライナ州で、開業医の家庭に生まれました。
本名はウィリアム・シドニー・ポーター（William Syd-
ney Porter）です。自分自身についてあまり語りたが
らない性格だったため、伝記的にはっきりしない部分が
あり、変わった筆名の由来についても、かわいがってい
た猫の名前ヘンリーにオーをつけたとか、新聞で見かけ
た平凡な名前、あるいは刑務所で知り合った人の名前か
らとったのだとか、諸説あります。

叔父の経営する薬屋での仕事、銀行員や新聞記者など
も経験していましたが、34歳の年に銀行の公金横領の
罪で訴えられてラテンアメリカに逃亡。妻の病気を知っ
て帰国しますが、妻は29歳の若さで亡くなります。そ
の後の裁判の結果、五年の刑期を言い渡されますが、犯
罪事実については今も明らかでないと言われています。
服役中に短編小説を書き始め、模範囚として三年三か月
で出獄してからは、短編を得意とする作家としてニュー
ヨークで活躍、47歳で亡くなっています。

ニューヨークは小説の舞台としても、アメリカ西部、
南部、中米などと比較して一番多く選ばれています。都
会でつつましく暮らす庶民が主な登場人物で、そこでの

図 3-1　O・ヘン
リー　1909 年

出来事を独特のユーモアと哀愁で描いた O・ヘンリー
を、ある伝記作者は「アメリカの短編をヒューマナイズ
した」と評しました。登場人物たちを描くにあたって、
人間心理に通じているだけでなく、庶民を見る目が常に
温かく、それが読者にも伝わってくるからでしょう。

　自身の特異な体験を題材に生かし、巧みな発想、豊か
な想像力、しっかりした構成力で、O・ヘンリーは人生
の機微に通じた短編を数多く書きました。起承転結がは
っきりしていて、結末に意外性があるのも大きな特徴で、
広く人気を博し、日本でも大正時代から愛読されてきま
した。映画化された作品もあります。

　ここでは、とくに有名な短編の一つ、「最後の一葉」
(1905)を読んでみます。

　舞台はニューヨークのグリニッチ・ヴィレッジ。レン

ガ造りの三階建てのアパートに、画家をめざすスーとジョンジーという若い女性が、二人で部屋を借りて暮らしています。

原文を読んでみよう part 1

　ある年の晩秋のこと、街では肺炎が猛威を振るい、ジョンジーがかかってしまいます。挿絵の仕事のかたわら看病をしているスーの耳に、ジョンジーの低い声が聞こえたので行ってみると……。ベッドのジョンジーはいったい何をしているのでしょう。気になりますね。

1　　Johnsy's eyes were open wide. She was looking out
2　the window and counting—counting backward.
3　　"Twelve," she said, and a little later "eleven"; and
4　then "ten," and "nine"; and then "eight" and "sev-
5　en," almost together.
6　　Sue looked solicitously out the window. What was
7　there to count? There was only a bare, dreary yard to
8　be seen, and the blank side of the brick house twen-
9　ty feet away. An old, old ivy vine, gnarled and de-
10　cayed at the roots, climbed half way up the brick
11　wall. The cold breath of autumn had stricken its

₁₂ leaves from the vine until its skeleton branches
₁₃ clung, almost bare, to the crumbling bricks.

₁₄ "What is it, dear?" asked Sue.

₁₅ "Six," said Johnsy, in almost a whisper. "They're
₁₆ falling faster now. Three days ago there were almost
₁₇ a hundred. It made my head ache to count them.
₁₈ But now it's easy. There goes another one. There are
₁₉ only five left now."

語句の意味・和訳のポイント part 1

2 backward 「逆に」「後ろ向きに」。

6 solicitously 「心配そうに」「気遣って」。

6 What was there to count? 「数えるべきどんなものが
そこにあるのか？」が直訳ですが、ここはいわゆる描出
話法ですね。作者が客観的に述べているというより、ス
ーの心の中の思いです（詳しくは、巻末の翻訳のための
文法ワンポイントアドバイス「ポイント6 話法に強く
なろう」を参照してください）。その感じを生かして訳
しましょう。

7 bare 「むき出しの」「（装飾などの）ない」。

7 dreary 「わびしい」「物悲しい」「暗い」。

8 blank 「（壁などが）開口部のない」。

9 feet 長さの単位。1 フィート（12 インチ）は 30.48 セ
ンチメートル。

9 gnarled 「ごつごつした、ねじれた」。

9 decayed 「腐った、朽ちた」。

12 until 「(前の部分を受けて)～してついに」の意味。
until の前にカンマ(,)がなくても、前から訳して大丈夫
です。

12 skeleton 「やせこけた、骨格の」。

13 clung, almost bare, to almost bare 「ほとんどむき
出しの」をカッコに入れて考えてみましょう。cling to
で「かじりつく、しがみつく」。

14 What is it, dear? この場合の it は特定のものを指す
のではなく、事情や状況を漠然と指していると考えます
（巻末の翻訳のための文法ワンポイントアドバイス「ポ
イント 1 代名詞に強くなろう」も参照してください）。
問題になっていることの状況や理由を訊ねている用法な
ので、「どうしたの？」「何なの？」くらいに訳すといい
でしょう。この場合、何もない外を眺めて数を数えてい
るジョンジーの様子を見て、わけがわからないスーが思
わず発した質問です。dear は家族など親しい間柄の人
に呼びかける語。意味としては「かわいい人」「いとし
い人」ですが、日本語の会話では相手に呼びかけること
をあまりしないので、とくに訳さなくてもかまいません。

名前で置き換えてもいいのです。

17 It made my head ache to count them. it は to 以 下を指します。「それらを数えることがわたしの頭を痛くした」が直訳です。無生物主語の文章が英語には多いですね。日本語らしくしたいところです。どう訳しますか？

翻訳に挑戦！ 訳例 part 1

では、全体を訳してみましょう。

　ジョンジーは目を見開き、窓の外を眺めて数を数えていた──それも普通とは逆に。

　「12」ジョンジーはささやくような声で言った。少しすると「11」、続けて「10」、「9」、そしてほとんど同時に「8」、「7」と言うのだった。

　スーは気になって、窓の外を覗(のぞ)いてみた。いったい何を数えているのかしら。外にあるのは、がらんとしたわびしい裏庭と、20 フィート離れたところにあるレンガ建ての家の、窓のない側面だけなのに。根元がねじれて朽ちかけている、とても古いツタのつるが一本、そのレンガの壁の途中まで這(は)い上がっていた。冷たい秋風が、すでにつるから葉を落とし、ほとんど何もつけていない

細い枝が、くずれかけた壁にぴったりとついていた。

「ねえ、何なの？」

「6」ジョンジーはかすかな声で言った。「落ちるのが早くなってる。三日前にはまだ百枚くらいあったのに。数えると頭が痛くなったものよ。でも、もう簡単。ほら、また一枚落ちていく。あと五枚しか残ってないわ」

翻訳のアドバイス

　O・ヘンリーは、回りくどく、読みづらい文章を書くこともある作家ですが、会話の書き方は上手で、登場人物の心情や性格がよく表れています。

　ここは病気で気弱になったジョンジーが、窓の外でだんだん散っていくツタの葉を数えているシーンです。登場人物の関係もふまえて、それぞれの気持ちになって訳しましょう。

　それから、英語では代名詞がたくさん出てきますが、日本語の文章では省いても大丈夫なものがかなりあり、また省いた方が日本語として自然になるケースが多いようです。また、主語の he や she などは、直前の文章と同じ人物なら省いてみる、必要であれば「彼」「彼女」とするのではなく名前にする、などの工夫をしてみまし

ょう。日本語に「彼」「彼女」はあまりなじまず、文章でも話し言葉でも、英語のようにひんぱんに使うことはありません。巻末の翻訳のための文法ワンポイントアドバイス「ポイント1 代名詞に強くなろう」もご覧ください。

原文を読んでみよう part 2

「最後の葉が落ちたら、わたしも……」と言い出すジョンジーのことを心配するスーは、下の階の住人でいっこうに芽の出ない画家のベアマンさんに事情を打ち明けます。ベアマンさんは以前から若い二人を見守っていて、「わしはいつか傑作を描く、そうしたらみんなでここを出ていこう」と言っている小柄な老人です。ジョンジーの様子を聞かされると、「そんな気弱なことを言い出すとは！」と憤り、「かわいそうに！」と同情するのでした。

さて翌朝になりました。ツタの葉はどうなったか、さっそく読んでみましょう。

1　"Pull it up; I want to see," she ordered, in a whis-
2　per.
3　Wearily Sue obeyed.

4 But, lo! after the beating rain and fierce gusts of
5 wind that had endured through the livelong night,
6 there yet stood out against the brick wall one ivy
7 leaf. It was the last on the vine. Still dark green near
8 its stem, but with its serrated edges tinted with the
9 yellow of dissolution and decay, it hung bravely from
10 a branch some twenty feet above the ground.

11　"It is the last one," said Johnsy. "I thought it
12 would surely fall during the night. I heard the wind.
13 It will fall to-day, and I shall die at the same time."

14　"Dear, dear!" said Sue, leaning her worn face
15 down to the pillow, "think of me, if you won't think
16 of yourself. What would I do?"

17　But Johnsy did not answer.

語句の意味・和訳のポイント part 2

1 Pull it up it は窓の日よけ(ブラインド)を指し、pull
up は「引き上げる」。命令文です。
3 wearily weary「不満な」の副詞形です。もし葉が残
らず落ちているのを見たら力を落とすであろうジョンジ
ーを気遣うスーとしては、できれば外を見せたくないの
です。

4 lo 「見よ」「ご覧」。やや古風な言い方です。ここは驚きの気持ちを強めていますね。

4 fierce 「猛烈な、すさまじい」。

4 gusts gust は「突風、急激な風」。

5 livelong 「(day または night の前に置いて) 長い長い」「まる〜じゅう」。とくに時間の経過が遅くて、ひどく長いと感じられるような場合に使います。

6 stood out stand out は「がんばる」「ねばる」。9 行目の bravely とあわせて、作者も登場人物たちも最後に残った一枚の葉を人間のように感じていることがわかります。

8 serrated 「のこぎりの歯状の」。

9 dissolution 「解体、分解」。

9 decay 「衰退」。前の語と合わせて、葉が枯れて変色しているのを表しています。

14 leaning her worn face down to the pillow 「〜しながら」という付帯状況を表す分詞構文です。worn は「やつれた」。

16 What would I do? 「(もしそんなことになったら)わたしはどうすればいいの？」

翻訳に挑戦！　訳例 part 2

では、訳してみましょうね。

　「ブラインドを上げてちょうだい。見たいから」ジョンジーはささやくような声で命じた。

　スーはしぶしぶ、それに従った。

　すると、何ということだろう！　長い長い夜の間中、雨が打ちつけ、激しい風が吹き荒れていたというのに、レンガの壁にはツタの葉が一枚、まだがんばって張りついていたのだ。つるに残る最後の一葉だった。茎の近くはまだ濃い緑色だが、ぎざぎざした縁は枯れて黄色に変わり、それでも地面から 20 フィート上のあたりの枝に、健気に下がっていた。

　「最後の一枚ね」とジョンジーは言った。「夜の間にきっと落ちてしまっただろうと思っていたわ。風の音が聞こえていたもの。今日は落ちるでしょうね。そうしたらその時、わたしも死ぬの」

　「ああ、ジョンジーったら！」スーは疲れた顔を枕につけた。「自分のことを考えないとしても、せめてわたしのことを考えてちょうだいな。わたし、どうしたらいいの？」

　けれども、ジョンジーは答えなかった。

図 3-2　現代のグリ
ニッチ・ヴィレッジ
の家並み（123 RF）

結びに

その日、そして次の朝、たった一枚残っていたツタの
葉は、果たしてどうなったでしょうか。それを見るジョ
ンジーとスーは？

この短編は、中学や高校で英語劇としてよく上演され
てきました。物語がわかりやすく、舞台も単純で大道具
が作りやすい、といった理由が大きいのかもしれません。
しかし、決してそれだけではないと思います。人間の心
の機微にふれるところがあり、それが読者の胸を打つか
らでしょう。結末で明かされる秘密には、きっと誰もが
心を動かされるはずです。

О・ヘンリーの短編は、読者の想像を裏切る結末と、

短くても深い意味を備えていて、一つ読むとはまってしまう人が少なくありません。実は私も、一時は作品を次々に読んで楽しんだ一人です。皆さんもぜひ、楽しみながらたくさん読んでください。

　読み慣れてくると、今度はどんな意外な結末が待っているのだろうか、と注意して読むのが自然と習慣になります。その意味では、推理小説を読むのと少し似ているかもしれません。最後の行を読んでびっくりしたり、そんなこともありそうだなとうなずいたり、人情味にしみじみと心打たれたり、同情したり、笑ったり……読後の感想は作品によってさまざまです。が、同時に作者の人間観察の鋭さ、細かさに驚嘆せずにはいられません。

　そうした「どんでん返し」を得意としたO・ヘンリーですが、結末で読者を驚かすのは案外難しいことだと思われます。途中に伏線がまったくないままだと、最後で読者はとり残されたような思いをするでしょうし、逆にヒントを出しすぎると、結末が簡単に予想されてしまいます。作者はそのバランスを巧みに計りながら書いている——まさに名人芸です。

　翻訳をしていると、作者の細かい工夫に気がついて感心することがよくあります。このような発見は、注意深く読むことが求められる翻訳者へのごほうびと言えるかもしれません。

コーヒーブレイク 3
映画について

　映画が好きな人は多いですね。私もその一人です！

　この本で紹介している物語のなかにも、映画化されている作品がたくさんあります。文学作品の映画化について、皆さんはどう感じているでしょうか。

　映画を見ておもしろかったので原作を読んでみたという経験のある人もいれば、好きな作品が映画化されたと知って見に行ったという経験のある人もいるでしょうし、逆に原作のイメージが損なわれるのを恐れて映画は見ない、という人も。また、本を先に読むべきか、映画を先に見ようかと迷う人もいます。

　かつては海外の文学作品の映画化・公開予定などの情報が入ると、出版社では読者の増加を見込んで本を増刷したり、原作の翻訳を企画したりしたものでした。一般に本を読む人が減る傾向にある最近ではどうでしょうか。それでも映画の公開時には、原作の翻訳書が書店や映画上映館に並ぶのを見かけます。映画がおもしろかったら、原作との違いが気になって、あるいはストーリーをもう一度じっくり味わいたくなって、本を読みたくなる人が

いるのは、自然なことでしょうね。

　大学の英米文学の授業で、文学作品を原作とする映画を鑑賞することも珍(めずら)しくなくなりました。しっかりと時代考証のされた作品であれば、映画や演劇はとても役に立ちます。服装、乗り物、建物、インテリアなど、映画の画面で見れば細部や雰囲気(ふんいき)までよくわかりますし、原作の一節が人物の会話やナレーションに織りこまれていたりすると印象深く、記憶にも残りやすくなります。選び抜かれた音楽も、物語を大いに盛り上げてくれるでしょう。

　ただし忘れてはいけないのは、映画と原作とは別のものであるということです。映画は2時間前後で鑑賞できるように作られることが多いので、原作の一部を省略したり、ストーリーを少々改変したりするのもやむを得ないでしょう。制作者の解釈と判断によって、恋愛の要素などといったある一面に、原作よりも力点がおかれたり、ストーリーが一部書き換えられたり、場合によっては、これがあの作品を原作とする映画かと驚くこともあったりします。ですので、映画と文学とはジャンルの異なるものであるという点をよく理解したうえで、両方を楽しむことをお勧めします。原作をじっくり読んで、映画と比較してみるのもおもしろいですし、『嵐が丘』『ジ

ェイン・エア』『若草物語』などのように何度も映画化
されてきた作品の場合には、新旧の映画同士を比較する
楽しみもあります。

　映画の字幕に興味を持っている人もいるでしょうね。
私も字幕について知りたく思って、字幕翻訳者の方々の
書かれた本を以前に何冊か読んだことがあります。その
結果わかったのは、字幕翻訳が特殊な職人芸、名人芸の
ようなものであるということです。観客が映画の画面を
見ながらごく短時間で読む必要のある日本語ですから、
当然一般の翻訳とは異なって字数の制限が厳しく、その
結果として省かなければならない情報が多く、その一方
で絶対に盛りこまねばならない事柄もあるという、字幕
ならではの制約です。

　映画を見ていて英語の台詞が聞き取れた時には、日本
語字幕と比べてみてください。意外な訳に驚いたり感心
したりすることがありますよ！　そんな時には、字幕制
作の苦心がわかり、制作者の方々にあらためて敬意を表
さずにはいられません。

『ジェイン・エア』

"Jane Eyre" by Charlotte Brontë

主人公の語りから胸中をくみとる

作家・作品紹介

　シャーロット・ブロンテ Charlotte Brontë（1816-55）は、イギリス北部ヨークシャー州の牧師の家に生まれました。5歳の年に母が亡くなり、子どもたちは伯母の世話を受けながらハワースの牧師館で成長します。六人きょうだいのうち無事に成人したのはシャーロットと弟一人、妹二人の四人で、イギリス文学史で「ブロンテ三姉妹」と呼ばれるのは、シャーロットとこの二人の妹、エミリーとアンのことです。

　シャーロットは住み込みの家庭教師の仕事をし、またエミリーとともにベルギーで学びました。帰国後に妹たちとの共著として出した『詩集』（1846）にはほとんど反響がなく、次の小説『教授』は出版社に受け取ってもらえませんでした。しかし、「もっと波瀾に富んだ物語を」という返送時のコメントをきっかけに生まれた長編小説『ジェイン・エア』（1847）が成功し、そのおかげで、エミリーの『嵐が丘』、アンの『アグネス・グレイ』も世に出すことができたのです。その後シャーロットは『シャーリー』『ヴィレット』などの作品を発表しますが、結婚してわずか半年後に病気のため亡くなりました。

　シャーロット・ブロンテの最高傑作である『ジェイン・エア』には、「自伝」という副題がついています。

図 4-1　シャーロット・ブロンテ　1850年のスケッチ

　確かにこの小説には、寄宿学校での生活、姉二人の早世、弟の堕落などという、作者自身の体験をもとにして書かれた部分がありますが、もちろん純粋な自伝ではありません。短い生涯での、決して豊富とはいえない経験からこれほど豊かな一編を書き上げたシャーロットの想像力と創作力には感嘆します。

　主人公のジェインは孤児です。引き取られた家で伯母やいとこ達にいじめられる惨めな境遇から、寄宿学校時代を経て、住み込みの家庭教師の職を自力で求めます。そして採用されて行った屋敷で主人のロチェスターと出会い、しだいに惹かれあって、結婚することになります。しかし式の当日に驚くべき秘密が明かされて結婚はとりやめとなり、ジェインは屋敷を出ていきます。さらなる試練の末、幸せな結末に至るまでの波瀾万丈の半生を、ジェイン自身が振り返って語る一人称小説、それが『ジ

ェイン・エア』です。今にいたるまで長く読み継がれ、何度も映画、演劇、テレビドラマになるほどで、その人気は今も衰えません。

　映画も素敵ですが、原作を読んで知る魅力の一つは、正直でひたむきなジェインの人柄を反映した語りです。ストーリーが時間の流れに沿って進むわかりやすさと、ジェインを取り巻く個性的な登場人物たちとが、長い物語を長いと感じさせないまま、読者をぐんぐんと引っ張っていきます。

原文を読んでみよう　part 1

　小説の一節を読んでみましょう。第 12 章です。

　家庭教師として迎えられたソーンフィールド邸での暮らしにも慣れ始めた、一月のある日、ジェインが午後の散歩に出た場面です。小川のせせらぎと遠い風の音だけが聞こえる静けさを乱して、馬のひづめの音と金具の鳴る音が小道を急に近づいてきます。まず犬が通り過ぎていき、次に人を乗せた一頭の大きな馬が姿を現します。ジェインの脇を通り過ぎてすぐ、土手道を覆っている氷で足を滑らせたのか、乗り手と馬が突然大きな音を立てて倒れたのです。幸い、人も馬も立ち上がりますが、厳めしい表情の男性は、足のどこかを痛めた様子にもかか

わらず、「お怪我<ruby>け<rt>け</rt></ruby><ruby>が<rt>が</rt></ruby>なさいましたか？」「何かお手伝いいた
しましょうか？」「手助けが必要なら誰か呼んできます」
などと申し出るジェインに対して、「大丈夫です。くじ
いただけですから」と答えるのです。

　以下は、その続きにあたる部分です。

1　If even this stranger had smiled and been good-
2　humoured to me when I addressed him; if he had
3　put off my offer of assistance gaily and with thanks, I
4　should have gone on my way and not felt any voca-
5　tion to renew inquiries: but the frown, the roughness
6　of the traveller set me at my ease: I retained my sta-
7　tion when he waved to me to go, and announced:——

8　'I cannot think of leaving you, sir, at so late an
9　hour, in this solitary lane, till I see you are fit to
10　mount your horse.'

11　He looked at me when I said this; he had hardly
12　turned his eyes in my direction before.

13　'I should think you ought to be at home yourself,'
14　said he, 'if you have a home in this neighbourhood:
15　where do you come from?'

16　'From just below; and I am not at all afraid of be-
17　ing out late when it is moonlight: I will run over to

18 Hay for you with pleasure, if you wish it— indeed, I
19 am going there to post a letter.'
20 'You live just below—do you mean at that house
21 with the battlements?' pointing to Thornfield Hall,
22 on which the moon cast a hoary gleam, bringing it
23 out distinct and pale from the woods, that, by con-
24 trast with the western sky, now seemed one mass of
25 shadow.

　いかがですか？　読んでみてすぐにわかったことと、読み返してもよくわからないこと、その両方があるのではないでしょうか。大丈夫、それで良いのです。
　この時点で読者が知らないこと、あるいは作者がまだ伏せていること、それらを翻訳者は知っています。翻訳に取り掛かる前に、最後までよく読んでいますからね。その情報を生かしながらも、まだ読者に種明かしはしない、という点が、訳す時に工夫すべき大事なポイントです。

語句の意味・和訳のポイント part 1

1 stranger　「見知らぬ人」の意味です。見慣れない対象であるために異様に見える場合があるかもしれません

が、「異常」とは限りません。ですので、「変な人」など
と決めつけてしまわないようにしてください。

1 good-humoured 「上機嫌の」「愛想のよい」。〜-hu-
moured で、「機嫌が〜の」として使います。反対に ill-
humoured なら、「不機嫌な」「不愛想な」「気難しい」
の意味になります。

2 addressed address はここでは動詞として使われて
いて、「話しかける」「呼びかける」です。名詞の「アド
レス」（住所、あて名など）にしかなじみのなかった人は、
この機会に辞書で確認しておくとよいでしょう。

3 put off 「退ける」の意味で使われています。この
語にもいろいろの意味がありますから、これも辞書にさ
っと目を通しておくことをお勧めします。

4 vocation 「果たすべきつとめ」。

5 renew 「再び始める、続ける」。

5 inquiries inquiry は「質問、調査」。

5 frown 「むずかしい顔つき」。

6 traveller 「旅人」って誰のこと？ と思ったでしょう
か。ここでは、この急に現れた男性を別の言葉で言い換
えているだけで、他の新しい人物は登場していません。

6 set me at my ease 「わたしの気持ちを楽にする、安
心させる」。

6 I retained my station とまどった人もいるのではあ

りませんか？ 「station=駅」だけではごく初心者の単語帳で、それではここの意味はわかりません。ここで使われている station は、人やものの「位置」です。辞書を見て確認してください。直訳すると「わたしは立ち位置を保持した」、つまり、「わたしはそこを動かなかった」という意味です。すぐ後に出てくる動詞 announce「発表する、表明する、告げる」の、少し仰々（ぎょうぎょう）しいニュアンスと合わせて、相手の指図（さしず）にやすやすとは従わない、ジェインの強い意志が感じられます。

7 waved wave は動詞で「（手などを振って）指示する、指図する」という意味。最初からここまで、7 行にわたる長いセンテンスですが、まず if で始まる仮定の部分が二つあって、I should have gone... と続き、いったんコロン（：）で切れて but... と始まる、そしてもう一度コロンで切れて I retained... と続くことがわかります。長いものの、切って順番に訳せばよいので、とくに複雑ではありませんね。この次から二人の会話が始まります。最初がジェインの台詞（せりふ）です。

8 sir 目上の人、見知らぬ人などに対する、改まった呼びかけの言葉です。とくに日本語にする必要はありません。言葉全体にその感じを出せばよいでしょう。

9 solitary lane 「寂（さび）しい細道」。

11 hardly 「ほとんど〜しない」に気をつけて。わたし

がそう言うと相手がわたしを見た、とあり、コロンがあって he had hardly turned his eyes in my direction before となっている点に注目。過去完了形ですから、この部分はある時点より前のことを述べていますね。巻末の翻訳のための文法ワンポイントアドバイス「ポイント3 時制に強くなろう」も参照してください。

18 Hay 地名です。

21 battlements battlement は「狭間胸壁(はざまきょうへき)」。もともとは城塞(じょうさい)上に防御(ぼうぎょ)の目的で設けられた、低い壁面のことです。

21 pointing to 付帯状況を表す分詞構文ですね。「～を指さしながら」。

21 Thornfield Hall 邸宅(ていたく)を表す hall に固有名詞がついて、「ソーンフィールド邸(てい)」となります。ジェインが住み込みで働いているお屋敷の名前です。

22 on which 関係代名詞 which の先行詞は「ソーンフィールド邸」です。このセンテンスはこの後が長いのですが、それはすべて、月に照らされたソーンフィールド邸の描写ですから、整理して順番に訳していきましょう。まず、「月が屋敷に灰白色の光を投げかけていた」。次の bringing は分詞構文で、by contrast...sky「西の空を背景に」はいったんカッコに入れて考えます。「月が it(屋敷)を青白くはっきりと(distinct and pale)浮かび上が

68

らせながら」「大きな影のように見える森から」。以上を
まとめて、「屋敷は白っぽい月の光に照らされ、西の空
を背景に大きな影のように見える森から、青白くくっき
りと浮かび上がっていた」とすれば、読者の目に浮かび
やすいでしょう。この場合のように、長い情景描写は整
理し直してから訳すのがポイントです。

翻訳に挑戦！　訳例 part 1

　では、全体を訳してみましょう。

　わたしが話しかけたときにこの初対面の人が、もしに
っこりして愛想よく答えていたら──もしわたしの申し
出に対して、ありがとうと言いながら明るく辞退してい
たら、わたしは重ねて訊ねようという気持ちにもならず、
さっさとそこを立ち去っていたに違いない。けれども、
この旅人のしかめつらと荒々しさのせいで気が楽になっ
たので、向こうへ行くようにと相手が手を振ってもなお、
わたしはそこから動かないままで、はっきり言った。
　「こんな遅い時間の、こんな寂しい道端に、お一人で
残していくなんて考えられません。馬にお乗りになれる
のを確かめませんことには」
　この言葉を聞くと、相手はわたしを見た。それまでは、

ほとんどわたしのほうに視線を向けなかったのだ。

「あなたのほうこそお宅に帰るべきではないかと思います
よ。この近くにあれば、ですがね。どこから来たの
です？」

「すぐ下です。それに月が照っていれば、遅くなって
外にいても、少しも怖くありません。よろしければヘイ
まで、喜んで走って行って参ります。実はわたし、手紙
を出しにヘイに行くところですので」

「すぐ下に住んでいらっしゃる？　胸壁のある、あの
家ですか？」相手はソーンフィールド邸を指さして聞い
た。屋敷は白っぽい月の光に照らされ、西の空を背景に
大きな影のように見える森から、青白くくっきりと浮か
び上がっていた。

翻訳のアドバイス

この訳文を読んで、何か気になったことはあります
か？

小説を訳す時には、物語の時代、場所、登場人物の生
まれ育ちや性格、人物同士の関係などを考えあわせる必
要があると、前のレッスンでお話ししました。

この場面の登場人物は二人で、一人は主人公のジェイ
ン、もう一人はここで初登場の、謎の（？）人物です。つ

まりここは、当の登場人物同士が相手のことを知らないという、珍しいケースなのです。その人は男性で、ジェインより年上のようです。それでジェインは、sir と呼びかけています。これは日本語にいちいち訳出する必要はありません。その人への発言全体の言葉遣いをていねいにしておけば、話し手の気持ちは十分に表れるからです。一般に英語では相手への呼びかけが日本語よりずっと多いので、文中に出てくる呼びかけの言葉や名前を、その通りに全部訳す必要はないでしょう。

　ジェインが敬意を払いながらも強情な一面を見せたので、相手の男性は内心少し驚き、それまでよく見ていなかったジェインにあらためて目を向ける、というところがおもしろいですね。

　見知らぬ女性なので、男性もジェインに対して一応ていねいに話しています。

　長い小説の中心となる二人が、最初こんなふうに出会ったのだという点で、とても印象的な場面です。

　代名詞にも工夫して訳してみましたか？

原文を読んでみよう part 2

　さて、気になる続きを読んでみましょう。

1 'Yes, sir.'

2 'Whose house is it?'

3 'Mr Rochester's.'

4 'Do you know Mr Rochester?'

5 'No, I have never seen him.'

6 'He is not resident then?'

7 'No.'

8 'Can you tell me where he is?'

9 'I cannot.'

10 'You are not a servant at the hall, of course. You
11 are——' He stopped, ran his eye over my dress,
12 which, as usual, was quite simple: a black merino
13 cloak, a black beaver bonnet; neither of them half
14 fine enough for a lady's-maid. He seemed puzzled
15 to decide what I was: I helped him.

16 'I am the governess.'

語句の意味・和訳のポイント part 2

この箇所は、わかりやすい会話ですね。質問も答えもシンプルです。

8 Can you tell me...? 「あなたは…がわかりますか？」

図 4-2 『ジェイン・エア』第 2 版の挿絵（F・H・タウンゼント）

10 hall いろいろな意味がありますが、ここでは「屋敷、館、邸宅」。

12 merino 「メリノ」（毛織物）。

13 cloak 「マント」「（ゆったりした）外套（がいとう）」。

13 beaver bonnet 「ビーバーの毛皮の帽子」。bonnet というのは、ひもをあごの下で結ぶ女性用の帽子で、昔の小説によく出てきます。

　ジェインの服装がとても地味で質素なので、相手にはジェインの身分・職業の見当がつかないようでした。14 行目の puzzled「困惑（こんわく）した」にその様子が表れていますね。そして、二人の性格もよくわかる一節です。

16 governess 「（住み込みの）女性家庭教師」。当時のイギリスでは、あまり裕福でない女性が知性を生かして自

立して生きるための、数少ない職業の一つが家庭教師でした。

翻訳に挑戦！　訳例 part 2

では、訳例をお見せしましょう。

「はい、そうです」

「誰の屋敷ですか？」

「ロチェスター様のお屋敷です」

「ロチェスター氏を知っていますか？」

「いいえ、お目にかかったことはありません」

「では、屋敷には住んでいないのですね？」

「はい」

「今どこにいるか、わかりますか？」

「いいえ」

「もちろんあなたは、屋敷の召使ではありませんね。すると——」ここでその人は言葉を切り、わたしの服装に目を走らせた。黒いメリノのマントに黒いビーバーの帽子——いつものように質素な装いで、小間使いの服装とも比べものにならなかった。わたしの身分について頭を悩ませている様子だったので、助け舟を出した。

「家庭教師です」

結びに

『ジェイン・エア』には、いくつもの印象的な場面や有名な場面があり、ここで取り上げた一節も、その一つです。

男性と別れたジェインが用事を済ませて屋敷に戻ると、小道で先ほど見かけた犬が屋敷にいて、さらに召使から「旦那様が戻られました」「お怪我をなさいましてね。お馬が倒れて足首をくじかれたんです」と聞かされます。そこでジェインは初めて、小道で出会った男性が実は、普段から出かけていることが多いためにジェインはまだ会っていなかった、この屋敷の主人ロチェスターだったのだとわかるのです。道理であの人は、屋敷のことをジェインにいろいろと訊ねていましたよね。

翻訳者はもちろん、この男性の正体を知っていますし、この先ジェインとの間にどんなことが起きるかも全部わかっています。そのうえで、ここではあくまでも初対面の見知らぬ人、という前提で訳すのです。

ロチェスターは第一印象の通り、日頃からぶっきらぼうな物言いをして気難しく、ハンサムでもありません。が、ジェインは次第に好感を持つようになります。さてこの先、どんな運命がジェインを待ち受けているのでし

ょうか。

　ジェインだけでなく、ジェインの出会う人たちも個性
豊かに生き生きと描写されていて、読者はイメージを頭
に浮かべやすく、興味をそそられます。

　いったんこの小説を読み始めたら、途中でやめられる
人はまずいないはず、と私は思います。

コーヒーブレイク 4

新訳について

　「新訳」という言葉、聞いたことがありますね？　そう、文字通り、新しい訳ということです。でも、「元の原作は一つで、翻訳もすでに存在するのに、どうしてまた新しく翻訳し直す必要があるんだろう」という疑問を持つ人も、少なくないと思います。

　その質問に対しては、「日本語が時代とともに変わり、日本語訳を読む読者の感覚と意識も時代とともに変化するから」というのが、私なりのお答えです。「名訳も古びる」と言われるのは、多分にそのせいなのです。

　日本語の変化については、国語辞典の編纂にたずさわる方々が、日本語の使われ方に日頃から注目し、辞書に加えるべき語や用法をたえず探っているというお話からもわかります。それとは逆に、数十年前に皆さんの親世代が普通に使っていた言葉が見出しから削除されている例もたくさんあるとか。日本語を使う私たちの感覚も、日々変わっているわけです。

　一つの英語原文に対する複数の訳文が、翻訳者や翻訳刊行の年などの情報抜きで並んでいても、書かれた年代

の順がほぼ推定できるでしょう。大学で私の担当する翻訳研究ゼミの教室で、何度か試したことがあります。もちろん訳者の年齢、性別、言葉遣いの好みや癖（くせ）（例えば古い言い回しを好んで使うかどうか）なども影響するので、正解とは多少答えが違ってくることはあるにせよ、翻訳の新旧には敏感に気づく人が多いことがわかりました。

　レッスン４で読んだ『ジェイン・エア』の part 1、訳例は現在の岩波文庫の河島訳ですが、その前の版の岩波文庫の遠藤寿子訳では以下のようになっています。いかがですか？　比べてみてください。

　かりに、この見知らぬ人が、私が言葉をかけた時、私に微笑したり、上機嫌であっただけでも、あるいは、私の申出（もうしで）た援（たす）けを、快活に感謝をこめて斥（しりぞ）けただけでも、私はさっさと行ってしまったであろうし、彼に繰返（くりかえ）して訊（き）く使命を感じはしなかったであろう。だが、この旅人の顰（しか）め面（つら）と素気（そっけ）なさが、私を気易（きやす）くさせた。彼が、もう行きなさいと、私に手を振った時、私は一歩も動かないで言った――
　「こんな晩（おそ）くに、こんな淋（さみ）しい小径（こみち）に、あなたを一人おいて行けない気がいたします。馬に大丈夫お乗りにな

れるのを見とどけますまでは」

　私がこう言うと彼は私の顔を眺めた。今までは、ほとんど私の方に目をくれなかったのであった。

　「あなたこそ家にいなけりゃならないでしょう」と彼は言った。「この付近に家がおありならば。どこからいらしたのです？」

　「すぐあの下から。わたくし月夜の時おそくまで出ていましても、ちっとも恐くございません。お望みでしたら、よろこんでヘーまで走って行きますわ、実は手紙を出しに行くところでございます」

　「すぐ此の下に住んでるのですね——あの胸壁のある邸を言うのですか？」と彼はソーンフィールド荘を指さして言った。月は邸に白い光りを投げて、この時西の空と対照して、一塊の影のように見える森から、それをくっきりと浮きあがらせていた。

（『ジェイン・エア』上巻、1957 年。引用するにあたって漢字に振り仮名を加えています）

　『ジェイン・エア』のように、既訳の存在する作品を翻訳する時、私自身はとくに「新訳」であることを意識しません。私自身の解釈と語彙とリズムとによって生まれた日本語による河島訳を、その作品の翻訳例の一つとして仲間に入れてほしい、できれば原作者の意図をより

よく反映した翻訳にしたい、と祈りながら仕事をするのが常です。

　古典の新訳が出されると、「言葉がわかりやすい」「読みやすい」「古い作品が身近になった」などの感想が読者の方々から寄せられ、時代に即した日本語の力によって古典が生き返り、新しいファンが生まれたことを実感します。有名作家の手による新訳などもあり、その場合は、その作家独特の世界と原作の世界とが融合（ゆうごう）するのを楽しむ読者もいて話題になり、これも興味深い現象です。またおもしろいことに最近では、「古事記」「伊勢物語」などといった日本の古典の、作家の手による「新訳」も多く出版されています。

『若草物語』

"Little Women" by Louisa May Alcott

登場人物の言動が示す性格や関係をつかむ

作家・作品紹介

　ルイザ・メイ・オルコット Louisa May Alcott（1832-88）はアメリカのペンシルヴェニア州に生まれ、少女時代をボストンで過ごしました。父のブロンソンは理想家肌の教育者で、あまり生活力があるとは言えない人でした。オルコットは小さい時から書くことを好み、家計を助ける手段としてスリラー小説や妖精物語などを書いていましたが、少女向けの物語を、という出版社からの依頼を受けて 35 歳で書き始めたのが、この『若草物語』（1868）です。これによってオルコットは、アメリカの家庭小説の礎を築いた作家として有名になりました。たいへん好評だったため、続編も次々に書かれています。

　原題は Little Women で、かつて日本では『小婦人』『四人姉妹』『四人の少女』などと訳されてきました。『若草物語』というタイトルは、1934 年の矢田津世子、水谷まさるによる二冊の訳書からで、ほぼ同時期に輸入されたアメリカ映画の日本版の監修をした作家の吉屋信子が選んだ『若草物語』というタイトルが小説にも使われ、その後も定着したものです。この題名と原題との違いには、ちょっと驚きますね。

　舞台はアメリカ大西洋岸北部のニューイングランドで、父が南北戦争（1861-65）の従軍牧師として留守の間、母

図 5-1　ルイザ・メイ・オルコット
1852 年ごろ

を中心にして家を守るマーチ家の四人姉妹の物語です。
オルコットの腕前が光る冒頭部分を最初に読んでみます
が、その部分の少し先に、戦場の父から届いた手紙を母
が四人の娘に読み聞かせる場面があり、その文中で父が
娘たちのことを my little women と呼んでいます。自分
が留守にしている間も各々（おのおの）の務めをきちんと果たし、立
派な女性としてがんばってほしい、という、父から娘た
ちへの望み——ここを読むと、小説の題名の意味もわか
るというわけです。

　小説全体として、家庭や結婚に大きな価値を置く伝統
的な女性観があるのは明らかですが、少女小説につきも
のだった感傷を排（はい）した、飾り気のないさっぱりした文体
が画期的（かっきてき）で、この小説から強い影響を受けたと自伝に記
しているフランスの作家ボーヴォワールをはじめ、これ
まで多くの女性たちを力づけてきました。聡明で愛情深
いマーチ夫人と、それぞれ長所も短所もある四人姉妹の
生き生きした人物像、そして信頼と温かさのあふれる家

庭生活が描かれていて魅力的です。

　これまで何度も映画化されてきましたが、2020 年版「ストーリー・オブ・マイライフ──わたしの若草物語」（グレタ・ガーウィグ監督）は、とくに次女ジョーに焦点を合わせた最新作。またその前の 1994 年版（ジリアン・アームストロング監督）も大変美しく格調の高い名画です。機会があったら、映画もぜひご覧になってください。見比べる楽しみもありますね。

原文を読んでみよう part 1

　では、小説の冒頭の部分を読んでみましょう。四人の個性的な姉妹が、それぞれの性格のわかるような話し方をする見事な冒頭部分です。ここまでに読んできた原文に比べて長めですが、姉妹のキャラクターを想像しながら、楽しんで挑戦してみましょう。

1 "Christmas won't be Christmas without any pre-
2 sents," grumbled Jo, lying on the rug.
3 　"It's so dreadful to be poor!" sighed Meg, looking
4 down at her old dress.
5 　"I don't think it's fair for some girls to have lots of
6 pretty things, and other girls nothing at all," added

₇ little Amy, with an injured sniff.

₈ "We've got father and mother, and each other,
₉ anyhow" said Beth, contentedly, from her corner.

₁₀ The four young faces on which the firelight shone
₁₁ brightened at the cheerful words, but darkened
₁₂ again as Jo said sadly,—

₁₃ "We haven't got father, and shall not have him for
₁₄ a long time." She didn't say "perhaps never," but
₁₅ each silently added it, thinking of father far away,
₁₆ where the fighting was.

₁₇ Nobody spoke for a minute; then Meg said in an
₁₈ altered tone,—

₁₉ "You know the reason mother proposed not hav-
₂₀ ing any presents this Christmas, was because it's go-
₂₁ ing to be a hard winter for every one; and she thinks
₂₂ we ought not to spend money for pleasure, when
₂₃ our men are suffering so in the army. We can't do
₂₄ much, but we can make our little sacrifices, and
₂₅ ought to do it gladly. But I am afraid I don't;" and
₂₆ Meg shook her head, as she thought regretfully of all
₂₇ the pretty things she wanted.

₂₈ "But I don't think the little we should spend
₂₉ would do any good. We've each got a dollar, and the

30 army wouldn't be much helped by our giving that. I
31 agree not to expect anything from mother or you,
32 but I do want to buy Undine and Sintram for myself;
33 I've wanted it *so* long," said Jo, who was a bookworm.

34　"I planned to spend mine in new music," said
35 Beth, with a little sigh, which no one heard but the
36 hearth-brush and kettle-holder.

37　"I shall get a nice box of Faber's drawing pencils; I
38 really need them," said Amy, decidedly.

　いかがですか？　皆さんの目には、どんな情景が浮か
んだでしょうか。

　『若草物語』に限らずどんな小説でも、冒頭は作者が
とくに念入りに書くはずの箇所です。一編の雰囲気を伝
える大事なところですし、ここで読者の心をつかみたい
からです。下手をすると、せっかく本を手にとってくれ
た読者に、「つまらなそう」と投げ出されてしまう恐れ
もあります。作者オルコットのお手並み、さっそく詳し
く拝見していきましょう。

語句の意味・和訳のポイント part 1

1 without　「～なしに」。without any presents で、「ま

ったくプレゼントなしに」の意味になります。

2 grumbled　grumble は「ぶつぶつ言う、ぼやく」。

2 Jo　最初に登場する「ジョー」は、マーチ家の次女で 15 歳。活発で自立心が強く、作家志望の女の子という設定で、作者のオルコット自身がモデルと言われます。

2 lying on the rug　rug は床の一部や暖炉の前に敷く敷物のことです。敷物に寝そべって言った、という描写を読んで、読者はいろいろなことがわかるのではありませんか？　短い中にも四人それぞれの性格が表れた台詞と描写が、この後にも続きます。たちまちのうちに読者をマーチ家の室内へ、そして物語の世界へと一気に引きこむ、見事な冒頭だと思います。

3 dreadful　「恐ろしい」で、口語（こうご）だと「ひどい」「とてもいや」くらいの意です。

3 Meg　「メグ」は 16 歳の長女。美人でおしゃれなお姉さんです。マーチ家に今より経済的なゆとりがあった頃を知っているだけに、貧乏がいっそう苦になるのでしょう。

5 for some girls to have...　不定詞（to 以下）の主語が for の後の some girls であるという構造です。「some girls が〜を持っていること」。

7 Amy　「エイミー」は 12 歳の末っ子で、絵を描くのが上手です。

7 injured 「気を悪くした、怒った」。

7 sniff 「鼻をすする、ふんと鼻を鳴らす」。

9 Beth 「ベス」は13歳の三女。病弱ですが忍耐強く、音楽好きで心優しい女の子です。

9 from her corner her に注意しましょう。「彼女の隅」とはどういうことでしょうか。そうです、「彼女がいつもいる隅」ということですね。

10 on which the firelight shone... 関係代名詞 which が修飾する先行詞は直前の faces ですね。on から shone までが一続き、brightened の主語はその faces です。次にある at は、ここでは「〜を聞いて」ですから、「〜を聞いて皆の顔は輝いた」となります。

13 haven't got =don't have. 現在完了の意味ではありません。会話ではよく使われます。

19 the reason mother... reason の後に that または why が省略されています。これも会話ではよくある形。

23 our men 「わたしたちの（味方の）兵士たち」。

25 I am afraid I don't I am afraid〜は、「（あいにく）〜なのを残念に思う」です。望ましくない（と話者が考える）内容が後に続きますよ、という一種の予告でもあります。ここでは I don't のあとが省略されていますが、何が省略されていますか？　そうです、それは直前の内容、「喜んで犠牲を払うこと」ですね。

32 Undine and Sintram いずれもドイツロマン派の作家フケー Friedrich de la Motte Fouqué（1777-1843）の書いた物語。代表作『ウンディーネ』（1811）は水の精と騎士の恋物語、『ジントラムの道連れ』（1814）も騎士物語で、ともに英訳されて親しまれました。ここでジョーは、両方を一冊にして出版された本の書名を言っていると思われます。

　ちなみに、このように説明を必要とする固有名詞は、翻訳の際に要注意です。調べてみて、もし必要があれば別のところに注とする、またはカッコに入れた注として示す、あるいは本文中に説明をうまく組み入れてしまうなどの方法があります。小説の場合、私自身は注を減らしたいほうですが、このことについては、コーヒーブレイク6「訳注について」もご覧ください。

33 bookworm いわゆる「本の虫」、つまり本好き、読書好きのことです。

34 music 「音楽」ではなく、ここでは「楽譜」の意味です。このように、英語を習いたての人でも知っている単語が、最初に覚えた意味と違う使われ方をする例に、小説を読んでいるとたくさん出会うことと思います。そんな時こそ、辞書が強い味方になってくれます。まめに引いて活用しましょう。

35 but the hearth-brush and kettle-holder but は except の意味です。「暖炉用の刷毛と鍋つかみの他には」。

37 Faber これも固有名詞。鉛筆の製造・販売会社として 1761 年に創業したドイツの文具・画材メーカーの名前「ファーバー」です。

翻訳に挑戦！ 訳例 part 1

では、いよいよ全体を訳してみます。

「プレゼントがないクリスマスなんて、クリスマスじゃない」と、ジョーは敷物に寝そべってぼやいた。

「貧乏って、本当にいやね」メグは自分の古いドレスを見下ろしながらため息をついた。

「綺麗なものをたくさん持っている女の子がいるのに、何も持たない女の子がいるなんて不公平よ」末っ子のエイミーが、怒ったように鼻を鳴らした。

「でも、お父様とお母様、それにわたしたち、お互いに姉妹がいるわ」ベスがいつもの隅から、満足そうに言った。

暖炉の火に照らされた四つの顔が、その明るい言葉に輝いた。しかし、次にジョーが悲しそうに言った言葉で、皆の顔はまた暗くなってしまった。

「お父様はいらっしゃらないわ。それも長い間かも」

ジョーは「ひょっとしたら、このままずっと」とは言わなかったが、三人はそれぞれの心の中で、黙ってそうつけ加えた——遠く、戦場にいる父を思いながら。

　少しの間、誰も口をきかなかった。するとメグが、違う口調で言った。

「今年はクリスマスのプレゼントをやめましょう、とお母様が言われたのは、誰にとっても厳しい冬になりそうだからなのよね。兵隊さんたちが大変な思いをしているときに、楽しみのためにお金を使うべきではないというお考えよ。わたしたちに大したことはできなくても、ささやかな犠牲をはらうことはできるし、喜んでそうすべきだということね。でも、わたしには無理」メグは欲しかった綺麗な品々のことを諦めきれずに思い浮かべて首を振った。

「だって、わたしたちが使う少々のお金が、何かの役に立つとは思えないわ。それぞれが持っている１ドルをあげたって、軍にはそんなに助けになるとは思えない。もちろんお母様やみんなからの贈り物は期待しないけれど、ウンディーネとジントラムの本は買いたいの。ずっと前から欲しかったんだもの」本の虫のジョーが言った。

「わたしはそのお金を、新しい楽譜を買うのに使いたいと思っていたのよ」ベスが小さなため息をついた——暖炉用の刷毛と鍋つかみにしか聞こえないほどの。

「わたしは、箱入りのファーバーの色鉛筆。絶対に必要なんだから」エイミーはきっぱりとそう言った。

翻訳のアドバイス

　これまでもお話ししてきましたように、小説を訳す時には、物語の設定された時代と場所、登場人物の生まれ育ちや性格、人物同士の関係、物語の場面など、いろいろ考えあわせなくてはなりません。『若草物語』の舞台は南北戦争の時代のアメリカ北部で、マーチ家はとくにお金持ちではない普通の家庭ですが、両親は娘たちをきちんとしつけて、愛情深く大切に育てていることがわかります。

　そこで上の訳例では、娘たちに両親を「お父様」「お母様」と呼ばせることにし、敬語も使わせて、やや古風な感じを出そうとしています。これを試しに「パパ」「ママ」に置き換えてみると……雰囲気がまったく変わるのではありませんか？

　自分が原文から読みとったこと──内容だけでなく行間にいたるまで──を、しっかり日本語で表現するのが翻訳者の義務であり、権利でもあります。正しく読みとる英語力、表現のための日本語力、そのどちらが欠けても、良い翻訳にはなりません。そのことはいつも忘れず

にいてくださいね。

原文を読んでみよう part 2

　次にもう一か所、姉妹の母のマーチ夫人がこの日帰宅
した場面を読んでみます。四人姉妹は母の帰りを待つ間、
交替で劇の人物を演じて楽しんでいました。

1　"Glad to find you so merry, my girls," said a cheery
2　voice at the door, and actors and audience turned to
3　welcome a stout, motherly lady, with a "can-I-help-
4　you" look about her which was truly delightful. She
5　wasn't a particularly handsome person, but mothers
6　are always lovely to their children, and the girls
7　thought the gray cloak and unfashionable bonnet
8　covered the most splendid woman in the world.

9　"Well, dearies, how have you got on to-day? There
10　was so much to do, getting the boxes ready to go to-
11　morrow, that I didn't come home to dinner. Has any
12　one called, Beth? How is your cold, Meg? Jo, you
13　look tired to death. Come and kiss me, baby."

14　While making these maternal inquiries Mrs. March
15　got her wet things off, her hot slippers on, and sit-

¹⁶ ting down in the easy-chair, drew Amy to her lap,
¹⁷ preparing to enjoy the happiest hour of her busy
¹⁸ day. The girls flew about, trying to make things com-
¹⁹ fortable, each in her own way.

語句の意味・和訳のポイント part 2

1 Glad to find you so merry 文頭の I'm が省略されて
います。you が目的語で、merry は補語ですから、この
文の文型は英語の 5 文型のうちのどれにあたるか、わ
かりますか？　そう、S＋V＋O＋C の第 5 文型です。

1 girls daughters の意味で使われています。my がつ
いているので、きっと見当がついたでしょうね。ちなみ
にこの girl ですが、必ずしも「少女」ではありません。
もっと年齢が上の女性にも使います。いつも単純に「少
女」と訳していると、おかしなことになるケースもあり
ますよ。

2 actors and audience 初めて読むと、何のことだか戸
惑いますが、四人が交替で劇を演じていたことをふまえ
ています。実際に翻訳にとりかかる時点では、もちろん
最後まで通読していますから、大丈夫です。

3 stout 健康でじょうぶな身体（からだ）つきの形容です。「恰幅（かっぷく）
のいい、どっしりした」。

3 "can-I-help-you" look このままの形では辞書に載っていないでしょう。でも、"Can I help you?"ならわかりますね。常に相手にそう訊ねているかのような雰囲気の女性を思い浮かべてください。それをうまく日本語にできますか？　まさに腕の見せ所ですよ！

4 about her which was truly delightful 関係代名詞のwhich が修飾する先行詞は look です。about は「身につけて」。

5 handsome この形容詞は、男性の容姿についていう「ハンサム」の意味だけではありません。女性の場合には、りりしくきりっとした顔立ち、また中年以降の女性の美しさに使います。辞書で確認しておきましょう。

5 mothers are always lovely to their children 現在形にしているのは一般論だからですね。巻末の翻訳のための文法ワンポイントアドバイス「ポイント3 時制に強くなろう」も参照してください。

9 dearies deary は主に女性が用いる呼びかけで、ここはその複数形。「かわいい人たち」の意味ですが、単語として無理に訳さなくても口調に気持ちがこめられればよいと思います。

9 how have you got on get on にはいろいろな意味があります。How are you getting on?「ごきげんいかがですか？」を参考にしてみましょう。

10 boxes box=Christmas box.「(使用人・郵便配達人などへのこころづけとしての)クリスマスの贈り物」。一年の労をねぎらって渡す習慣です。

11 dinner 「正餐」。一日のうちの主要な食事のことで、通例は夕食ですが、この場合のように昼食のこともあります。お昼に dinner をとれば、夕食が supper になります。

11 Has any one called この call、現在なら電話ですが、この時代では「訪問する」です。

13 Come and kiss me, baby 末っ子であるエイミーへの呼びかけです。baby は、一家やグループの中で一番年下の人などへの親しみを込めた呼びかけに用いられます。本物の赤ちゃんばかりを表すとは限りませんので、気をつけてください。

14 maternal inquiries 「母親らしい質問」。

18 flew about 「飛び回った」という感じですね。

翻訳に挑戦！　訳例 part 2

では、訳例をお見せしましょう。

「みんながそんなに楽しそうでうれしいわ」戸口で明るい声がした。劇を演じていた者、見ていた者、どちら

も振り向いて迎えたのは、母親らしくふっくらした身体つきの女性だった。いつでも喜んで助けてあげましょうね、という雰囲気を備えていて、とても感じが良い。特別に美しいというわけではないが、子どもたちにとって母親は常に魅力的なもので、この姉妹たちもグレーのマントと流行遅れの帽子を身につけたこの人を、世界一すばらしい女性だと思っていた。

「今日はみんな、どう過ごしていたの？　わたしは明日のクリスマスの贈り物の支度(したく)に忙しくて、お昼に帰れなかったのよ。どなたかいらしたかしら、ベス？　メグ、風邪(かぜ)の具合はどう？　ジョー、あなたは疲れきっているみたいね。エイミー、こっちに来てキスしてちょうだい」

それぞれに母親らしい言葉をかけながら、マーチ夫人は濡(ぬ)れたものを脱ぎ、温められた室内ばきを履いて、ひじ掛け椅子(いす)に腰を下ろした。エイミーを膝(ひざ)に引き寄せ、忙しい一日で一番幸福な時間を迎えようとしていた。姉妹は飛び回って、それぞれの仕方ですべてを居心地(いごこち)良くしようとするのだった。

結びに

いまこの二か所を読んだだけでも、マーチ家の雰囲気、

母と四人姉妹との温かい結びつきがよくわかりますね。苦しい時だからこそ、家族が信頼し合い、助け合う様子が読者の胸を打ちます。余計な飾りのない文章も、物語を引き立てていますね。

　物語ではこのあと、一家の日常生活の中でいろいろな事件が起こります。お隣の邸宅（ていたく）に住む青年ローリーとのお付き合いも始まり、ローリーのいかめしい祖父ローレンス氏も登場。いかにも怖そうで近寄りがたい、このおじい様と、マーチ家の姉妹の中で一番先に親しくなるのは意外にも……。

　これまで長く愛読されてきた『若草物語』、皆さんも実際に読んでみればその魅力をきっと見つけることができるでしょう。手に入れやすい翻訳も多くありますし、翻訳を手がかりに英語で読んでみても楽しめます。どなたにも自信をもっておすすめできる一冊です。

コーヒーブレイク 5

名前の呼び方が変わる？

　エリザベス（Elizabeth）という女性名があります。2022 年に亡くなったイギリス女王も、クイーン・エリザベス二世でしたね。この名前は愛称形（あいしょうけい）が多いことでも知られています。Bess, Bessie, Beth, Betsy, Betty, Elisa, Eliza, Lily 等々、これらたくさんの愛称のすべてが、もとは Elizabeth なのです。そんな中で、小さい時から両親や家族が呼びならわす名前が愛称になるのでしょうが、「わたしのこと、〇〇と呼んで」と自らリクエストする場合もあるようです。

　『若草物語』の四姉妹の中にもベス（Beth）がいました。ちなみに姉のメグ（Meg）はマーガレット（Margaret）、ジョー（Jo）はジョセフィーン（Josephine）の、それぞれ愛称です。周囲の人たちから普段は愛称で呼ばれていても、改まった時などに正式の名前で呼ばれることがあり、愛称と正式名の両方を知らないと、誰のことかと首をかしげてしまう恐れがあります。第 4 章で気難しいマーチ伯母（おば）がジョーのことを「ジョセフィーン！　ジョセフィーン！」と呼びたてるシーンがありますし、第 6 章

で思いがけなくベスに贈られたピアノには「ミス・エリザベス・マーチ」宛ての封筒が載せられていました。第23章でメグに愛の告白をしようとする時、ジョン・ブルックはメグを「マーガレット」と呼ぶのです。

　また、マーチ家の隣に住むローレンス家の青年ローリー（Laurie）の場合、本当の名前はセオドア（Theodore）なのですが、その名前が好きではないから友達にはローリーと呼ばせているんだ、という説明で自己紹介をしています。さらに物語の最後の方には、テディー（Teddy. セオドアの愛称です）という呼び名がジョーの口から出る場面があります。それまでずっと「ローリー」と呼ばれていたのですから、驚く読者もいるはずです。そんな時、とくに問題がなければ、訳文では「ローリー」で統一してしまうほうが、読者に親切かと思います。

　同様のことが、最近私の訳したアメリカ小説『無垢の時代』（イーディス・ウォートン作、岩波文庫、2023年）にもありました。登場人物の一人にローレンス・レファーツ（Lawrence Lefferts）という男性がいるのですが、二度だけ愛称で、ラリー・レファーツ（Larry Lefferts）と言われることがあり、私はどちらも「ローレンス」と訳出しました。そうでなくとも登場人物の多い長編小説ですので、同一人物であることを示して混乱を避ける

ために、それが最善策だったと信じます。

　もっと単純な例としては、「○○氏」「○○夫人」として登場した人物が、妻または夫からファーストネームで呼ばれる場面を読んで、読者が初めてその名を知ることになるケースなどもあります。

　名前には要注意、ですね。

『まだらの紐』

"The Adventure of the Speckled Band"
by Arthur Conan Doyle

文中の手がかりを見逃さない

作家・作品紹介

　アーサー・コナン・ドイル Arthur Conan Doyle（1859-1930）は、近代推理小説の基礎を築いたイギリスの作家です。スコットランドのエディンバラに生まれました。両親はアイルランド人で、あまり余裕のない暮らしでしたが、ドイルは伯父の援助で医学を学び、医師として開業することができました。しかしうまくいかず、家計の足しにと書いた長編推理小説『緋色の研究』（1887）を書き上げた後、執筆に専念する道を選びます。この『緋色の研究』に登場した素人探偵シャーロック・ホームズと、その友人で助手のワトソン博士のコンビがドイルを有名にし、以後世界中の推理小説ファンを魅了することになるのです。

　イギリスの帝国主義戦争である南アフリカ戦争（別名ボーア戦争。1899-1902）が起きると、ドイルはボランティア医師として従軍し、帰国後には戦争のことを書いた本を出版して、ナイトの称号も得ています。他に歴史小説や SF 小説なども書きましたが、何といってもホームズのシリーズが最高傑作です。

　ホームズは抜群の観察力と推理力の持ち主で、ワトソン博士を含む一般人がまったく気づかずに見逃してしまうような事柄をヒントにして、他の誰にも解けない謎を

図 6-1　アーサー・
コナン・ドイル
1914 年

解き、難事件を見事に解決します。科学的な知識と論理
的な思考をもとにする、推理分析学とも言うべきその手
法に加えて、変わり者で冷静なホームズと穏やかなワト
ソンという対照的な性格の二人がコンビを組んでいるこ
とも人気の秘密でしょう。ごくわずかの例外を除くと、
大部分の事件をワトソンが記述する形をとっています。
「まだらの紐」の語り手もワトソンです。

　レッスン 7 で読む「黒猫」の作者で、探偵小説の元
祖とされるアメリカの作家エドガー・アラン・ポーの作
品にも探偵デュパンについて語る友人が出てきますが、
この人は名前もわからず、存在感が薄いのに対して、ワ
トソンははっきりした個性を持つ相棒として描かれ、ホ
ームズとの対話も物語の読みどころの一つとなっていま
す。

　ドイルの最初の短編集である『シャーロック・ホーム

ズの冒険』(1892) に収められている 12 編は傑作ぞろい
ですが、中でも「まだらの紐」は作者のコナン・ドイル
自身が最も気に入っていたという一編で、名作であると
いう評価も確立しています。

　さっそく読んでみましょう。

原文を読んでみよう　part 1

　事件をホームズの元にもたらしたのは、朝早く訪ねて
きた、一人の若い女性です。ホームズはまだ眠っていた
ワトソン（当時は同じ下宿に住んでいました）をわざわざ
起こし、来客が待つ部屋に二人で入っていきます。

1　"Good-morning, madam," said Holmes cheerily.
2　"My name is Sherlock Holmes. This is my intimate
3　friend and associate, Dr. Watson, before whom you
4　can speak as freely as before myself. Ha! I am glad to
5　see that Mrs. Hudson has had the good sense to
6　light the fire. Pray draw up to it, and I shall order
7　you a cup of hot coffee, for I observe that you are
8　shivering."

9　"It is not cold which makes me shiver," said the
10　woman in a low voice, changing her seat as request-

11 ed.

12 “What, then?”

13 “It is fear, Mr. Holmes. It is terror.” She raised her

14 veil as she spoke, and we could see that she was in-

15 deed in a pitiable state of agitation, her face all

16 drawn and grey, with restless, frightened eyes, like

17 those of some hunted animal. Her features and fig-

18 ure were those of a woman of thirty, but her hair

19 was shot with premature grey, and her expression

20 was weary and haggard. Sherlock Holmes ran her

21 over with one of his quick, all-comprehensive

22 glances.

語句の意味・和訳のポイント part 1

1 madam 既婚未婚の別なく、女性一般に対するてい
ねいな呼びかけです。

3 associate 仲間、友人、同僚（どうりょう）などに使いますが、ワ
トソンとは同業ではないし、友人であることはこの直前
で言ったばかりですから、ここでは「相棒」くらいでも
良いでしょう。

3 ...before whom 関係代名詞の whom ですから、「そ
の人の前では」。「その人」（=Dr. Watson）の後にカンマ

がありますから、安心して一度切って、以下の部分を訳しましょう。

4 Ha! 何かに気づいた、軽い驚きを表しています。

5 Mrs. Hudson 「ハドソン夫人」。ホームズの下宿の女主人。変わった間借り人であるホームズに対して寛容(かんよう)で親切なばかりでなく、ホームズに協力した事件もあります。

6 pray I pray の省略形で、「どうぞ」。

6 draw up 「近くに寄る」。命令文ですが、pray を加えて優しい調子に和(やわ)らげています。

8 shivering shiver は「震(ふる)える」。

13 terror 心配や不安などを表す一般的な語である fear に対して、「(実在のまたは想像上の危険に極度におびえる)非常な恐ろしさ」を指します。女性がより強い意味の言葉に言い換えていることがわかりますね。

15 a pitiable state of agitation 「気の毒なほど不安に苛(さいな)まれた状態」。

15 all drawn all は副詞「すっかり」、drawn は「引きつれた」「やつれた」。

17 some hunted animal some は「何かの」、hunted は「追われておびえたような」です。「追い詰められた何かの動物」となります。

17 features 「顔立ち、容貌(ようぼう)」。

17 figure 「姿、容姿」。

19 shot with 「(ある色で)いろどられた」。

19 premature 「早すぎる」。

19 expression 「表情、顔色」。

20 weary and haggard 「疲れきってやつれた」。

20 ran her over run over は「ざっと調べる」。

翻訳に挑戦！　訳例 part 1

では、全体を訳してみます。

「おはようございます」ホームズは明るく言った。「シャーロック・ホームズです。こちらは親友で相棒のワトソン博士で、彼の前では、僕に対するのと同様に気兼ね（き　が）なくお話しください。ああ、ありがたいことに、ハドソンさんが暖炉に火を入れてくれたようですね。さあどう（だん　ろ）ぞ、火の近くへ。熱いコーヒーでも一杯、持ってきてもらいましょう。震えていらっしゃるじゃありませんか」

「寒くて震えているわけではありません」女性は小さな声でそう言いながら、言われた通りに椅子を動かした。（い　す）

「では、どうして？」

「怖いからです、ホームズさん、とても恐ろしくて」そう答えながら、女性はヴェールを上げた。見ると確か

に気の毒なほど不安を感じているようで、顔が引きつって青ざめている。落ち着きなくおびえた目は、追い詰められた動物のようだった。顔立ちや身体つきからは30歳くらいにしか見えないのに、髪には早くも白いものが混じり、疲れきってやつれた表情だ。シャーロック・ホームズはすべてをすばやく見通すような、独特の目つきで、その女性を観察していた。

翻訳のアドバイス

　ヘレンという名のこの女性は、ホームズならきっと助けてくれるだろうと期待して訪ねてきたのですが、ひどくおびえている様子です。よほど差し迫った事情があるに違いありません。力になりたいと思ったホームズに、「すぐに解決して差し上げますから、参考になりそうなことをすべて話していただけますか？」と優しく促されて、ヘレンは話し始めます。

　依頼人の気持ちを引き立てようと、つとめて明るく振る舞うホームズ、不安でいっぱいのヘレン、そんな二人をそばで見守るワトソンという、三者三様の様子が想像できましたか？　原文の文章から場面の空気を読みとること、その結果を忠実に訳して日本語で読む読者に伝えること、常にそれが翻訳者の役目です。そのためには、

英語の力と日本語の力、どちらも必要であることがおわかりでしょう。

　ドイルは情景描写も人物描写も上手ですので、味わって読み、楽しんで翻訳できると思います。

　さて、ヘレンの話に戻りましょう。ヘレンは双子の姉ジュリアと、亡くなった母親の再婚相手のロイロット博士とともに三人で暮らしていたのですが、結婚を控えていたジュリアが二年前に急逝したとのこと。今回ホームズを頼ってきたのは、その時の不可解な出来事に深く関わっているようなのです。

原文を読んでみよう part 2

　ヘレンは当時のことをくわしく語ります。姉のジュリアが亡くなったのは激しい雨の夜で、姉の悲鳴を聞いてヘレンははね起き、廊下に飛び出したと言います。その時、隣にある姉の部屋の扉がゆっくり開きました……。

　どきどきする場面ですね！　さっそく読んでみましょう。

1 I stared at it horror-stricken, not knowing what was
2 about to issue from it. By the light of the corridor-

3 lamp I saw my sister appear at the opening, her face
4 blanched with terror, her hands groping for help,
5 her whole figure swaying to and fro like that of a
6 drunkard. I ran to her and threw my arms round
7 her, but at that moment her knees seemed to give
8 way and she fell to the ground. She writhed as one
9 who is in terrible pain, and her limbs were dreadful-
10 ly convulsed. At first I thought that she had not rec-
11 ognized me, but as I bent over her she suddenly
12 shrieked out in a voice which I shall never forget,
13 'Oh, my God! Helen! It was the band! The speckled
14 band!' There was something else which she would
15 fain have said, and she stabbed with her finger into
16 the air in the direction of the doctor's room, but a
17 fresh convulsion seized her and choked her words.

語句の意味・和訳のポイント part 2

1 stared at it stare は「じっと見つめる」です。とく
に、目を見開いて凝視（ぎょうし）するような時に使われます。「無
遠慮（えんりょ）にじろじろ見る」のも stare です。そして、ここで
見つめている it の指すものは？　姉の部屋のドアです
ね。

1 horror-stricken 「恐怖に襲われて」。

1 not knowing 分詞構文。理由を表すとも付帯状況を表すとも読めるので、訳す時には判断が必要です。巻末の翻訳のための文法ワンポイントアドバイス「ポイント 5 分詞構文に強くなろう」も参照してください。

2 issue 「現れる」（自動詞）。他動詞の「出す、発行する、出版する」などの意味を知っている人が多いかもしれませんね。

3 opening 「開口部」。窓、穴、隙間などのこともありますが、ここはドアを開けた戸口です。

3 her face blanched...swaying 姉が現れた時の様子を、付帯状況を表す独立分詞構文で説明しています。その時の状況を、「顔は～、両手は～、姿（身体）は～」と述べていて、being は省略されています。巻末の翻訳のための文法ワンポイントアドバイス「ポイント 5 分詞構文に強くなろう」も参照してください。

5 to and fro 「あちこちへ」「前後に」。

5 that of a drunkard 「大酒飲み（の人）」。that は何を指しますか？　そう、figure ですね。

7 give way 「崩れる」。

8 writhed writhe は「身もだえする、もだえ苦しむ」。

9 limbs limb は「手足」。

10 convulsed convulse は「身体を震わせる」。

114

10 recognized me　recognize は、「(以前に知っていたものだと)わかる」ことです。前後によって「識別する」「思い出す」「見抜く」などの訳が考えられますね。

13 band　帯状の紐、布片、帯、ベルト、リボンなど、いろいろなものを指す語です。ここでは事件の重要なカギであり、タイトルになっているキーワードです。

13 speckled　「斑点_{はんてん}のついた」。

15 fain　「～したい」。would fain have said で「言いたかった」。

16 the doctor's room　この doctor は「博士」。もちろん一緒に暮らす義理の父、ロイロット博士のことです。万一ぼんやりしていて物語の設定を忘れ、「医師の部屋」などと訳したら、読者は困惑_{こんわく}してしまいます。ホームズとワトソンにこれまでの出来事を説明する中で、ヘレンは義父のことを Dr. Roylott と呼んでいますから、ここまで読んできた人なら「博士」で十分わかります。念のため「ロイロット博士」と訳しておくのも良いでしょう。さらに日本の読者のための親切な訳としては「義父」とする手もあります。ヘレンの言葉としては、「博士」とするより「義父」としたほうが、むしろ自然ではないでしょうか。

17 fresh　「新たな、次の」。fresh convulsion「次の痙攣_{けいれん}」が but 以下の文章の主語で、二つの動詞 seized と

choked にかかっています。

17　choked her words　choke は「息、言葉などを止める」。ここでは「痙攣が言葉を詰まらせた」となります。

翻訳に挑戦！　訳例 part 2

では、訳してみましょうね。

　わたしは恐れおののきながら、扉をじっと見つめました——そこから何が出てくるか、わからなかったのですから。廊下のランプの灯りで、姉が戸口に現れるのが見えました。その顔は恐怖で青白くなり、両手は助けを求めるかのように空中を手探りし、身体は酔っ払いのようにふらふらと揺れています。わたしは姉に駆け寄って両腕で抱きしめましたが、それと同時に姉は、膝から崩れるように倒れてしまいました。激しい痛みのある人のようにもだえ苦しみ、手足はひどく痙攣しています。初めはわたしだとわからなかったようですが、わたしが身をかがめると、突然叫びました——忘れられない声で。「ああ、ヘレン！　紐！　まだらの紐よ！」姉はそう言い、まだ何か言いたいことがあったらしく、義父の部屋のほうを指さすのです。が、また痙攣が起きて、ものが言えなくなってしまいました。

結びに

　推理小説を楽しむには、ホームズのように何一つ見逃さない注意力が読者にも必要とされます。小説の中のあちらこちらにヒントが隠されているからです。注意深く読んでいきましょう。

　この事件は、ホームズの関わった数々の事件の中でも、とりわけミステリアスです。最後まで読んだ読者は、まるで想像もできなかった結末に、さぞかし驚くことでしょう。でもその結末は、無からいきなり飛び出してきたわけではなく、ホームズが推理するだけの手掛かりが途中にきっとあったはず。ここでホームズは、自分も姉と同じ目に遭うかもしれないとおびえるヘレンの話を注意深く聞くとともに、謎を突き止めるべく、ヘレンの住む屋敷に足を運んで、周囲や部屋をじっくりと観察します。読者もホームズの後についていきながら、一緒に考えずにはいられません。まだらの紐とは何のことだったのか、姉の死と何か関係があるのか、ヘレンはこれからどうなるのか、興味は尽きないことでしょう。

　ホームズのシリーズには、読んでいるだけで胸がどきどきしてしまう場面が少なくありません。「まだらの紐」でも、ことにホームズとワトソンが屋敷に乗りこんでからの一部始終を読む時には、読者もともに息をひそめ、

図 6-2　ロンドン・
地下鉄ベイカー街駅
のプラットフォーム
（123RF）

目を凝らす思いになるでしょう。この一編に限らず、読
者は二人とともに事件を推理し、謎解きに参加する楽し
みを味わえるのです。

　ホームズとワトソン、この二人のコンビが登場するの
は、長編 4 編と、5 冊の短編集に収められた 56 の短編
です。シャーロッキアンと呼ばれる熱烈なファンが世界
中にいて、ファンクラブも作られ、現在日本にもシャー
ロック・ホームズ・クラブがあると聞きます。

　また、ホームズが住んでいたとされる下宿の住所はロ
ンドンのベイカー街 221 番地 B で、いまそこにはホー
ムズの部屋を再現した「シャーロック・ホームズ博物
館」が建っていて、シャーロッキアン達の訪れる聖地と
なっています。ホームズに関しては、研究書、事典、案
内書、写真集などもたくさん出されていますよ。繰り返

し映画化、ドラマ化もされていて、舞台を現代にアレンジしたBBCのテレビドラマシリーズ「シャーロック」（2010年〜）も人気を博しました。

　ホームズの活躍した時代は19世紀末頃、ヴィクトリア朝末期です。でもそんな昔の話だとは信じられないほど、現在も知名度が高く、ファンも多くて、まるで実在の探偵かと思ってしまいそうな存在感のある人物──それがシャーロック・ホームズです。前後にひさしのついたウールの鳥打帽（ディアストーカーと呼ばれるそうです）を被って、口にパイプをくわえた横顔のシルエットを、皆さんもきっとどこかで目にしたことがあるでしょう。

訳注について

「注」とは何か、知っていますか？

本文中の言葉に説明を加えたい時、カッコをつけて本文より小さい活字で説明したり（これがその割注(わりちゅう)という方法です）、その語に小さな印をつけておいて巻末など別の場所で説明したりする、あれが注です。見たことがありますよね？　その中で、日本語で読む読者のために訳者がつける注を「訳注」と呼んでいます。原作者が原文に注をつけている場合には、それをそのまま訳しておくのが普通で、さらにそれ以外に「訳注」をつける場合には、原作者の注と区別できるように、「訳注」としてつけます。

実際に、英文で書かれた作品を日本語に翻訳していると、日本人読者にはなじみが薄いと思われる語に出会うことがあります。主に固有名詞ですが、これをどうするかは翻訳のたびに迷うところです。作品の性格、対象とする読者層などによって、処理の方法は変わってくるでしょう。

例えばこの本に引用した作品の中から、レッスン5の『若草物語』の冒頭を例にしましょう。原文 part 1

の最後の方に、小説の書名と文具メーカーの名前が出てきました。「ウンディーネ」は聞いたことがある人もいるかもしれませんし、「ファーバー（ファーバーカステル）」の製品は現代日本でも売られていますが、誰もが知っているとは限りません。詳しく説明すればキリがなく、訳注も長くなってしまいますね。私はそんな時、自分が読者だったらどんな形を歓迎するかしら、と考えてみます。もちろん、読者にもいろいろなタイプの人がいて、固有名詞についての詳しい情報を喜ぶ人もいれば、小説を読み進めるのに邪魔だと感じる人もいますから、翻訳者としてはどうするか、迷ったり悩んだりすることも多い、難しいところです。

　私は、ほとんどの読者が知っていると思われる語、または見当がつくと思われる語の場合には訳注はつけないでおくか、あるいは何文字か加えて本文中に織りこむ、一方であまり知られていないと思われる語、または特殊な語の場合には極力簡潔な説明を巻末につける、という方針で、これまで仕事をしてきました。この『若草物語』の場面でしたら、ジョーの欲しがっているのが本だとわかればいいという判断で、「ウンディーネとジントラムの本」とし、ファーバーのほうは色鉛筆のメーカー名だと察してもらうことが期待できると考えて、注はつけず、単に「ファーバーの色鉛筆」としておくでしょう。

訳注をできるだけ少なくする主義の私が、たくさんの注をつけたこれまでで唯一の作品は、今から 150 年ほど前のアメリカを舞台にした小説『無垢の時代』でした（コーヒーブレイク 5「名前の呼び方が変わる？」でもふれた本です）。その作品の場合には、当時のニューヨーク社交界の慣習と登場人物の感情とを織り交ぜて描写することに作者の重要な意図があったので、登場する固有名詞は時代を反映する大事な役目をも負っていたのです。そのため、原作をそのまま英語で読む人のための英語版にも、編者による注が付されていました。

　逆に、英語圏の読者を想定して書かれた文章（例えばラフカディオ・ハーンが日本について英文で書いた作品がそのよい例です。コーヒーブレイク 1「コンテクストって何のこと？」で取り上げています）を日本語に翻訳しようとすると、日本人の読者には必要ないと思われる原注がついていることがあります。その場合、注を省略することもできますが、作者がどこにどんな説明を加えているか、つまり日本をよく知らない読者のために作者がどんな言葉に説明が必要だと考えたのか、を知ることも大事だと思えば、あえて残しておきます。
　そんなわけですから、異文化の橋渡しをする翻訳者の考え方は、注の扱いにも当然表れるということなのです。

『黒　猫』

"The Black Cat" by Edgar Allan Poe

不思議な黒猫と語り手の謎を探る

作家・作品紹介

　エドガー・アラン・ポー Edgar Allan Poe（1809-49）は、アメリカのボストンで、旅役者の両親の間に生まれました。両親を早く亡くし、南部の富裕な商人アラン夫妻の養子になります。ヴァージニア大学で学びますが、飲酒と賭博で借金を重ねて養父と衝突し、大学をやめなくてはならなくなります。その後、ウェスト・ポイント陸軍士官学校に入学するものの、規則を破って放校処分になるなど、長続きしません。編集者として仕事をしながら短編小説や詩を発表しますが、若くして結婚した妻は貧しい暮らしの中で病死、自身も 40 歳の若さで亡くなっています。十代の頃から素晴らしい詩を書くなど、天才的で多才な人だっただけに、早世が惜しまれます。

　ポーは音楽的な詩や、優れた詩論、批評集なども残していますが、日本の読者に最もよく知られているのは、バラエティーに富む短編小説の数々でしょう。有名なものでは、荒廃した屋敷で次々と奇怪な事件が起こる、ゴチック風の短編「アッシャー家の崩壊」（1839）、二重人格をテーマとする「ウィリアム・ウィルソン」（1839）など、一度は題名を聞いたことがあるかもしれません。また、名探偵デュパンの登場によって、推理小説・探偵小説の元祖とも言われる「盗まれた手紙」（1844）や「モル

図 7-1　エドガー・
アラン・ポー
1849 年

グ街の殺人」(1841)なども、ぜひ一度は読んでいただき
たい作品です。

　そんな短編の中でもとくに有名な「黒猫」(1843)、そ
の冒頭で語り手は、こう述べています。「いまここに記
そうとしている、きわめて奇怪な、それでいてひどくあ
りふれた物語を、信じてもらえるとも、信じてほしいと
も思わない。自分の感覚でさえ自分の経験を認めまいと
しているのだから、そんなことを期待したら、それこそ
狂気の沙汰ということになるだろう」。

　語り手自身が信じられないほどに奇怪な物語とは、い
ったいどんな物語なのでしょう！　興味を覚えずにはい
られませんね。そして実際に読み進むと、確かに現実離
れしたストーリーなのです。

原文を読んでみよう part 1

語り手はまず、自分の幼少時のことから語り始めます。少し長めで読みにくいところもあるかもしれませんが、「語句の意味・和訳のポイント」の説明を参考にしながら、独特の雰囲気を感じてください。

1 　From my infancy I was noted for the docility and
2 humanity of my disposition. My tenderness of heart
3 was even so conspicuous as to make me the jest of
4 my companions. I was especially fond of animals,
5 and was indulged by my parents with a great variety
6 of pets. With these I spent most of my time, and nev-
7 er was so happy as when feeding and caressing them.
8 This peculiarity of character grew with my growth,
9 and, in my manhood, I derived from it one of my
10 principal sources of pleasure. To those who have
11 cherished an affection for a faithful and sagacious
12 dog, I need hardly be at the trouble of explaining
13 the nature or the intensity of the gratification thus
14 derivable. There is something in the unselfish and
15 self-sacrificing love of a brute, which goes directly to
16 the heart of him who has had frequent occasion to

¹⁷ test the paltry friendship and gossamer fidelity of
¹⁸ mere *Man*.

¹⁹ I married early, and was happy to find in my wife a
²⁰ disposition not uncongenial with my own. Observing
²¹ my partiality for domestic pets, she lost no opportu-
²² nity of procuring those of the most agreeable kind.
²³ We had birds, gold fish, a fine dog, rabbits, a small
²⁴ monkey, and *a cat*.

²⁵ This latter was a remarkably large and beautiful
²⁶ animal, entirely black, and sagacious to an astonish-
²⁷ ing degree.

語句の意味・和訳のポイント part 1

1 infancy 「幼年時代」。広く「物事の初期」という意味でも使う言葉です。

1 was noted for note は「認める」「気づく」ですから、be noted for〜で、「〜で知られている」という意味になります。

1 docility 「おとなしさ」。

2 humanity 「慈愛、慈悲」。少々日本語に訳しにくい語ですが、優しさ、思いやりなどという日本語にするのも良いと思います。

2 disposition 「性質、気性」。

2 My tenderness of heart... even so〜 as... は「…する
ほど〜」。even は強調。「わたしの心の優しさは、make
以下のようなことを引き起こすほど conspicuous（目立
つ、著^{いちじる}しい）だった」。

3 jest 「からかいの種」「物笑いの種」。ここでは make
me the jest ですから、他動詞が目的語と補語を従える
タイプの S＋V＋O＋C の第 5 文型で、「わたしをからか
いの種にする」ですね。第 5 文型は第 4 文型（S＋V＋O
＋O）と区別しにくいし、何となく苦手だという人は少
なくないのですが、典型的な例文を一つ覚えておくと役
に立ちますよ。

4 fond of be fond of = like.

5 indulged...with indulge with〜は「〜で喜ばせる」。

6 these 何を受けていますか？　this、these は原則と
して近いものを指すので、比較的探しやすいです。見つ
けましたか？　そうです。直前の a great variety of
pets ですね。

7 them they を常に人間だと思い込んではいけません。
it の複数も they ですから、物を指すこともあるわけで
す。ここではどうでしょうか。このセンテンス内にある
these と同じものです。具体的にはペットの動物たちで
すね。

9 manhood そもそも man には、「人間」、「男性」、「成人」など、意味がいくつかあり、manhood も同様ですが、ここでは「大人、成人」になります。その区別をつけるヒントは、ほとんどの場合、前後に目を配ると見つかるものです。ここでは、前に infancy「幼年時代」の話があったので、それと対照的に「大人時代」、つまり「大人になっても」の意味だと見当がつくでしょう。

9 I derived from it... from it をカッコに入れて考えます。derived「引き出した」の目的語は one of 以下になります。

10 those who～ 「～する人たち」。よく出てくる使い方です。

11 affection 「愛情」。持続的で深い、物静かな愛情に用います。

11 sagacious 「賢い」。

12 be at the trouble of ～ing 「わざわざ～する」。

13 the nature この the nature は、次の the intensity と並んで of the gratification にかかります。

13 thus 「このように」。

14 derivable 「引き出せる」。動詞 derive「引き出す」＋-able「～できる」。

15 brute 「野獣」の意味に使われることもありますが、

ここでは単に「動物」。

17 test 「試す」ですが、「友情（friendship）や忠実（fidelity）を試す」とは？——それらが本物かどうかを確認する、という意味でしょう。前の部分と合わせて「以下のような経験をしてきたものの心にまっすぐに届く何かがある」となります。

17 paltry 「つまらぬ」「くだらない」「無価値の」。けなすニュアンスが強いです。

17 gossamer 「薄くて軽い」。これもやはり否定的に使っていますから、この場合「繊細な」などの肯定的な訳語はふさわしくないでしょう。

18 mere 「単なる」「たかが〜に過ぎない」、つまり「とるに足りない」「問題にするほどのことではない」という気持ちを表しています。そこまではわかったとしても、日本語には訳しにくいですね。

18 _Man_ さあ、ここでの man は？　前ページの manhood の説明で挙げた三つの中から選んでください。動物と比べているのですから「人間」の意味ですね。最初を大文字にしているのは、強調するためでしょう。

19 find in my wife a disposition このような形の文章にとまどう人も少なくありません。これが教室なら、「in my wife をカッコに入れてごらんなさい」と言うところです。つまり、わかりにくいセンテスになってい

る原因は、find とその目的語とが離れていることによるのです。目的語は a disposition「ある性質」で、「my wife の中に a disposition を見出す」と言っているのです。それがどんな性質かはその後に述べられています。

20 not uncongenial with　congenial は「同じ性質の」で、それに接頭辞 un-がついて意味が打ち消され、「気性が合わない」、そしてさらにそれを not が否定するという形です。結局、「気が合う」わけですね。

20 my own　あとに来るべき名詞が省略されていますね。何でしょうか？　そうですね、disposition です。

20 observing my partiality　分詞構文です。理由、時、そのどちらを表すともとれますね。observe は「気づく」。

21 lost no opportunity　「好機を逃さなかった」。

22 procuring those of the most agreeable kind　procure は「手に入れる」。those は何を指しますか？　前に出てきた複数名詞ですから、そうです、pets ですね。

25 latter　普通 latter は、「（二者のうち）後者の」の意味ですが、this latter などとして代名詞的に「（三者以上のうち）最後の」の意味に使うこともあります。

26 to an astonishing degree　「驚くほどに」。degree は程度を表します。

翻訳に挑戦！　訳例 part 1

　独特の言い回しが難しかったでしょうか？　でもがんばってついてきてくれましたね。

　では、全体を訳してみましょう。

　わたしは幼少の頃から、おとなしく思いやりのある性格で知られていた。心の優しさは際立っていて、仲間たちにからかわれるほどだった。とくに動物が大好きで、両親はさまざまな生き物をいくらでも与えてくれた。わたしはそうしたペットを相手にして多くの時間を過ごし、食べ物をやったり、そっと撫でたりしている時ほど楽しいことはなかった。この際立った性格は成長とともに強まり、大人になってからもわたしの最も主要な楽しみの源の一つだった。このようにして得られる喜びがどんなものか、どんなに熱烈なものかは、忠実で賢い犬をかわいがったことのある人には、わざわざ説明するまでもないだろう。無私で献身的な動物の愛情には、人間ごときのちっぽけな友情や薄っぺらな忠実をしばしば思い知らされてきた者の心にまっすぐ届く何かがあるのだ。

　わたしは早くに結婚した。幸いにも妻はわたしと気の合う質で、わたしが動物好きだとわかると、機会あるごとにわたしの好みそうなペットを手に入れてくれた。小

鳥、金魚、立派な犬、ウサギ、小型の猿、そして猫。

　この猫というのが、とても大きくて美しく、全身が真っ黒で、驚くほど賢かった。

翻訳のアドバイス

　この文章を読んで、どんなことを感じましたか？

　実に謎めいた文章ですね。と言うと、「いえ、別にそうは思いませんでしたけど」という声が、あちらこちらから聞こえてきそうです！　確かに動物好きな人は世の中にけっして少なくありませんから、ここを読む限り、語り手だけがとくに変わっているというわけではないように見えます。

　ですが、この短編ではこの先、異常な出来事が、それも一つならず待ち受けているのです――動物好きで、「おとなしく思いやりのある性格」の人がなぜ、と思わずにはいられないようなことが……。それを知っていてここを読むと、謎めいていると感じてしまうのです。

　語り手は酒飲みで、酔うと性格が変わって異常な行動に出てしまいます。かわいがっている黒猫や愛する妻に対しても……。

　ポーの作品は、古めかしい感じの文章で書かれていま

す。そして多くの場合、いつ、どこを舞台にした物語なのかも、はっきりしません。「黒猫」の語り手についても、動物好きな性格だけはわかるのですが、名前・年齢・国籍などはいっさい不明……実は作者のポーが、あえてそのように書いているので、仕方ないのです。ポーの短編は、舞台が特定されることがほとんどありません。非現実的な人工の世界とも言えますし、地域性を越えた普遍性（ふ へんせい）を獲得（かくとく）していて完成度が高いとも評価されています。

　こういう文章を翻訳する場合、語り手についての情報があまりに少ないので、それだけ文章そのものに注意を向けて読み、必要十分な日本語で訳していくしかないように思います。

原文を読んでみよう part 2

　さて、この謎めいた物語の、結末に近い一節を読んでみましょう。語り手の異常な行動に気づいて捜査（そうさ）に来た警官たちが家の中をくまなく調べてもとくに手がかりは見つけられずに、いま引き上げていこうとしている──そんな場面です。

1　'Gentlemen,' I said at last, as the party ascended

the steps, 'I delight to have allayed your suspicions. I
wish you all health, and a little more courtesy. By the
bye, gentlemen, this—this is a very well constructed
house.' [In the rabid desire to say something easily,
I scarcely knew what I uttered at all.] — 'I may say
an *excellently* well constructed house. These walls—
are you going, gentlemen?—these walls are solidly
put together;'....

語句の意味・和訳のポイント part 2

1 gentlemen gentleman は男性に呼びかけるていねい
な言い方で、やや古風です。ここでは警官たちにむかっ
て「皆さん」と呼びかけているため、複数形です。

1 at last 「ついに、とうとう」。長い中断や遅延、迷い
があったことを意味します。ここでは警官たちが引き上
げようとするのを見た語り手が、勝利の喜びを抑えきれ
なくなり、何かひとこと言ってやりたくなった気持ちと
戦ったことをふまえています。

1 party 「一行」。

2 allayed allay は「静める、軽減する」。

2 I wish you all health 「健康を祈ります」。

3 a little more courtesy これも all health と並んで wish

の目的語。「もう少しだけ多くの礼儀正しさを（皆さんに願いたい）」。

3 by the bye　「時に、ついでながら、ちなみに」。

5 rabid　「激しい、猛烈な」。

6 scarcely　準否定語で「ほとんど〜ない」。

6 uttered　utter は「言う」。

9 put together　「作られている」。

翻訳に挑戦！　訳例 part 2

では、訳してみましょうね。

　「皆さん」わたしは、とうとう声をかけた。警察の一行が階段を上りかけている時だった。「わたしへのお疑いが晴れてうれしく思います。ご健康をお祈りします。しかし、もう少しだけ礼儀をわきまえていただきたいものですね。ところで皆さん、この――この家はとてもよくできていまして」（すらすらと何かをしゃべりたいという強い欲望に駆られて、わたしは自分の言っていることがほとんどわからなくなっていたが）「素晴らしい出来だと言ってもいいほどで、この壁も――おや、もうお帰りですか？――とても頑丈にできた壁なんですよ」

結びに

　実は語り手は、ここまでの間にさまざまな恐ろしい行為を重ね、その証拠を地下室の壁に埋め込んでいたのです。黙っていれば完全犯罪達成かという、まさにその瞬間、彼は言わなくてもよいことを、どうしても言わずにはいられなくなってしまうのです。さて、壁の中にはいったい何が——？　この直後は、実に恐ろしい場面です。

　自分で自分をコントロールできないことの恐怖、ポーはそんな屈折した心理——「天邪鬼」な衝動を他の作品にも描きました。

　恐ろしい展開のきっかけとなるのは、タイトルにもなっている黒猫です。そのイメージは、作中でいろいろに述べられています。「大きくて美しく、驚くほど賢い」と述べられている、part 1 の箇所が最初ですが、その頭の良さが「黒猫は魔女の化身」だという俗信を思わせるほどだったとも書かれていますし、語り手がつけた名の「プルートー」、「冥府の王」という意味の名前自体がそもそも暗い感じです。

　私は以前、大学でアメリカ文学の授業を担当していて、ポーについての回で「黒猫」のストーリーを説明したこ

とがあります。順を追って話しているのに、とうていありえないような、荒唐無稽な話に聞こえてしまって、自分でも困ったことがありました。ところが一人で小説のページをめくって読んでいく時には、まるで魔法にでもかかったように、すっかりポーの世界に取りこまれてしまうのです。

　そんなわけで、ポーの世界は実に不思議です。だまされたと思って、ぜひぜひ皆さんもご自分で読んでみてください。「黒猫」も、結末まで読んでから part 1 の文章にもう一度戻ると、「謎めいている」と私が述べた意味がよくわかっていただけると思います。「黒猫」の翻訳は、文庫版だけでも数社から出されているポーの傑作短編集に収められているので、手に入れやすいのもうれしいことです。

　ちなみに、近代日本推理小説・探偵小説の先駆をなした小説家江戸川乱歩のペンネームは、このエドガー・アラン・ポーの名前をもじったものなのです。「えどがわらんぽ」「エドガー・アラン・ポー」と口に出して言ってみてください！

翻訳に必要な力とは？

英語の力さえあれば翻訳はできる、と思っている人は、おそらくいないでしょう。

いろいろな経験——英文読解を自分でやってみたり、翻訳された文章を読んで読みにくさを感じたり、日本語なのに意味がわからず首をかしげたり、といったような経験の積み重ねがあれば、翻訳の難しさは自ずとわかってきます。

では、翻訳をするにはどんな力を備えていればよいのでしょうか。実際にそういう質問を受けることもあるので、ここでまとめてみましょう。

英語力はもちろん必要です。しっかりした英語力なしに翻訳を始めることはあり得ないと思いますが、原文に書かれた意味を正しく読みとるのは基本中の基本、最初の一歩であることは言うまでもありません。が、英語力だけでは不十分です。

まず、文化や歴史など、ストーリーの背景についての知識、そして常識が必要不可欠です。原作の世界では当然とされている物事・習慣であっても、日本の読者にと

ってはなじみのないことかもしれません。読み手を考慮<ruby>考慮<rt>こうりょ</rt></ruby>して訳すことは、常に大事な心得です。

　次に、コンテクストを検討する際の柔軟<ruby>柔軟<rt>じゅうなん</rt></ruby>な思考力が求められます。英語の文章で書かれた場面を自分の頭の中に思い浮かべ、それを日本語で組み立て直すのが翻訳の作業だからです。

　ですので、翻訳者が読みとり、解釈した内容を日本の読者に的確に伝えるために、日本語の能力が必要になります。海外生活が長かったり、バイリンガルだったりして、英文の理解に優<ruby>優<rt>すぐ</rt></ruby>れた人であっても、必ずしも翻訳が上手にできるとは限らないのは、翻訳には優れた日本語能力が問われるからにほかならないのです。日本人だからといって、誰もが読みやすい日本語の文章が書けるとは限りませんよね。

　では、どうすれば日本語力を磨<ruby>磨<rt>みが</rt></ruby>くことができるのでしょうか。それには、日頃から本や新聞をよく読み、自分でも実際に文章を書いてみることが有効ではないかと思います。自分が書いた文章を少し経ってから読み直すのは、自分の文章の巧拙<ruby>巧拙<rt>こうせつ</rt></ruby>や癖<ruby>癖<rt>くせ</rt></ruby>に気づくための有効な手段の一つです。時間をおくことで、書き手だった自分を少し離れて、いくらか客観的に読むことができます。

これは翻訳に限らず、どんな種類の文章にも共通することです。作文やレポートは時間の余裕をもってできるだけ早く書き始め、提出までに少なくとも二回か三回読み直して推敲（すいこう）したいものです。主語と述語とが離れていたり、一組の主語と述語の間に別の主語・述語が入り込んでいたりしないか、文のねじれはないか、修飾語と被修飾語のかかり具合に乱れはないか、など、落ち着いた気持ちで目を通してみましょう。最初に書いた直後には気づかなかった問題点を、きっと発見できるはずです。良い文章を書きたいという熱意と忍耐力が肝心（かんじん）ですね。これを繰り返すうちに、最初に書く文章も改善されていくでしょう。

　文章のわかりやすさ、美しさは、このような心がけと地道な努力で格段にアップします。時間をおいての推敲作戦——覚えておいて、ぜひとも試してみてください。

『グレート・ギャツビー』

"The Great Gatsby" by F. Scott Fitzgerald

行間に流れる雰囲気までを感じとる

作家・作品紹介

　F・スコット・フィッツジェラルド F. Scott Fitzgerald（1896-1940）は、アメリカのミネソタ州セント・ポールに生まれました。名門プリンストン大学に入学しますが、アメリカが第一次世界大戦に参戦した1917年、大学3年で軍隊に入り、アラバマ州駐屯中に出会った女性ゼルダと婚約。戦争が終結し、一作目の小説『楽園のこちら側』（1920）の成功後に結婚します。

　アメリカの1920年代は、第一次世界大戦の勝利のもたらした好景気を背景に、それまでになく開放的な文化が花開いた、「ジャズ・エイジ」と称される時期なのですが、二人はそのジャズ・エイジを象徴するような華やかな生活を送ります。しかし、やがてゼルダの精神障害、自身の飲酒癖などのために借金がかさみ、それとともに名声は下降します。創作力も20年代が絶頂でしたが、派手な生活を支えるためもあって次々と作品を発表し続け、44歳の若さで心臓発作のため死去しました。

　フィッツジェラルドはヘミングウェイと並ぶ「失われた世代」（＝「ロストジェネレーション」。第一次大戦後、戦争の残酷さを実感し、既成概念に疑問を感じながら新しい生き方を追求したアメリカの作家たち）の代表で、短編・長編の両方に優れた作品があります。自伝的な傾

図 8-1　F・スコット・フィッツジェラルド　1920 年ごろ

向の強い作品が多く、後期の傑作『夜はやさし』(1934)はその代表です。

　そんなフィッツジェラルドの一番の傑作とされる小説は、生活の拠点をパリに移している間に書いた、『グレート・ギャツビー』(1925)でしょう。アメリカ中西部の貧しい農家の息子ジェイ・ギャツビーは、一代で財産を築いて大富豪となり、自分の出征中に金持ちのトム・ブキャナンと結婚していた、かつての恋人デイジーに再び愛を求めようとします。その顛末を、やはり中西部出身の青年ニック・キャラウェイが語る物語です。

　ニックがたまたまギャツビーの邸宅の隣に住むことになって二人は親しくなりますが、ニックはギャツビーと違って冷静な観察者でもあるので、昔の恋人デイジーを美化する一方のギャツビーの目には入らない、デイジーの浅薄な面が見えてしまい、それが読者にも伝わるので

す。この語り手ニックの存在が、小説の完成度を高めたと言えましょう。

　舞台は 1920 年代のニューヨークで、時代の雰囲気がまざまざと感じられます。色彩を巧みに使う表現や詩的な文体も見事ですし、退廃的だとニックが考えているアメリカ東部と、ニックやギャツビーの出身地であり、純朴さを保っているイメージで描かれる中西部との対比も読みとることができる、たいへん興味深い作品です。

　本作を原作として 1974 年に作られた映画（「華麗なるギャツビー」ジャック・クレイトン監督、ロバート・レッドフォード主演）は、美しい画面が魅力的で、原作の表現も巧みに織りこまれています。144 分の長い作品ですが、原作を大事にしつつ観客を飽きさせない出来ですので、お勧めできる映画です。レオナルド・ディカプリオがギャツビーを演じる 2013 年作の映画（バズ・ラーマン監督）が最新作で、見比べるのもおもしろいでしょう。

原文を読んでみよう part 1

　それでは、有名な冒頭の部分を読んでみましょう。印象的で、一度読んだら忘れがたい一節です。

1 In my younger and more vulnerable years my father
2 gave me some advice that I've been turning over in
3 my mind ever since.

4 'Whenever you feel like criticizing anyone,' he
5 told me, 'just remember that all the people in this
6 world haven't had the advantages that you've had.'

7 He didn't say any more, but we've always been un-
8 usually communicative in a reserved way, and I un-
9 derstood that he meant a great deal more than that.
10 In consequence, I'm inclined to reserve all judge-
11 ments, a habit that has opened up many curious na-
12 tures to me and also made me the victim of not a
13 few veteran bores.

語句の意味・和訳のポイント part 1

1 younger 比較級ですね。後ろに than〜という形で比較する対象が出てこなくても良いのです。この場合のように、言わなくてもわかる場合には省略されますよ。

1 vulnerable 「傷つきやすい」。これも more がついて比較級ですね。二つの比較級、どちらも「今より」の意味を含んでいます。

2 turning over 「(心の中で)考えめぐらす」。

3 ever since 「それ以来ずっと(今まで)」。

4 feel like ～ing 「～したいような気持ちになる」。

4 he told me 実際はその人物が続けて言った台詞でも、英語では途中で一度切って he said などを加えることがよくあります。でも、もとは一続きですので、訳す時には切らずに続けた方がむしろ自然です。ここでも、he told me は、台詞の前か後に入れるか、省略しても問題がなければ省いてしまっても構いません。

5 just 命令文に使われると、語調を和(やわ)らげたり、時には強調、いらだちを示したりすることもあります。ここは「試しに(ちょっと)～してごらん」くらいでしょうか。

5 all the people...you've had all があって否定文ですから、「すべての人が…ではない」という部分否定ですね。過去と現在のつながりを表す現在完了形が使われています。翻訳のための文法ワンポイントアドバイス「ポイント 3 時制に強くなろう」も参照してください。

6 advantages 「利点」。物質的な豊かさや教育など、恵まれた環境のことでしょう。

8 communicative 「意思が通じ合う」。

8 reserved 「控(ひか)えめな、遠慮(えんりょ)がちな」の意味の形容詞です。

10 reserve all judgements 「あらゆる批判を遠慮する、控える」。

11 a habit 「習慣」。前の文の内容を受けて「つまりそれは一つの習慣で」。そしてさらに that 以下がその結果起きたことの具体的な説明です。10 行目からまとめると「その結果として僕には、あらゆる批判を控える傾向が身についてしまった。それは一つの習慣で、その習慣が〜という結果を招いた」となります。

11 opened up 「近づけた」。

11 curious natures 「奇妙な性質の人たち」。

13 veteran bores 「退屈な人、相手をうんざりさせる人」の bore に、「経験を積んだ」「老練の」「名うての」という形容詞 veteran がついています。

翻訳に挑戦！　訳例 part 1

では、全体を訳してみます。

　僕がまだ若く、今より心が傷つきやすかった頃に、父がある忠告をしてくれた。僕はそれ以来、その言葉を心の中で何度も思いめぐらせてきた。

　「誰かを批判したくなった時には、世の中すべての人がお前のように恵まれて育ってきたわけではない、ということを思い出すのだよ」

　父はそれ以上言わなかったが、父と僕とは常に控えめ

150

なやり方で人並み以上に意思を通じ合わせてきたので、この言葉にもずっと深い意味がこめられているのだろうということがわかった。その結果、僕にはあらゆる批判を控える傾向が身についてしまい、その習慣が大勢の変わった性格の人たちを周りに招き寄せることになり、また退屈きわまる連中の餌食にもなったのである。

翻訳のアドバイス

若い時に身近な人から聞いた言葉が、その後の人生に大きな影響力を持つという例は、世の中に珍しくないかもしれません。でもここでは、父の言葉に秘められた深さだけでなく、親友としてこれからギャツビーの物語を語ろうとするニックがずっと心の奥にしまって、大切にしてきた言葉であるだけに重みがあります。証券取引所で働いて、ごく普通の生活をしている青年ニック——他人に対して早まった評価を下さず、人から心の内を打ち明けられることも多いという穏やかな性格は、小説の語り手としても望ましいものでしょう。

原文を読んでみよう part 2

さて今度は、第6章にある、ニックとギャツビーの

会話の一節を読んでみましょう。

　ギャツビーが自分の邸宅で開いた盛大なパーティーの後の会話です。この晩のパーティーにはデイジーも姿を見せたので、ギャツビーは彼女のことを考えずにはいられません。

1　He broke off and began to walk up and down a
2　desolate path of fruit rinds and discarded favours
3　and crushed flowers.

4　'I wouldn't ask too much of her,' I ventured.
5　'You can't repeat the past.'

6　'Can't repeat the past?' he cried incredulously.
7　'Why of course you can!'

8　He looked around him wildly, as if the past were
9　lurking here in the shadow of his house, just out of
10　reach of his hand.

11　'I'm going to fix everything just the way it was be-
12　fore,' he said, nodding determinedly. 'She'll see.'

13　He talked a lot about the past, and I gathered that
14　he wanted to recover something, some idea of him-
15　self perhaps, that had gone into loving Daisy. His life
16　had been confused and disordered since then, but if
17　he could once return to a certain starting place and

₁₈ go over it all slowly, he could find out what that
₁₉ thing was...

語句の意味・和訳のポイント part 2

1 he　ギャツビーを指します。

1 broke off　break off は「（話などを）急にやめる」。

1 up and down　「（ある範囲を）行ったり来たり」。もちろん文字通り「上下に」という意味のこともありますが、高低差は必ずしもなくて良いのです。

1 a desolate path of...flowers　desolate は「荒れ果てた」「見る影もない」です。普段は手入れの行き届いた美しい庭なのですが、この時は大勢の人が集まって大騒ぎしたパーティーの終わった後で、ひどく散らかっている様子です。

2 discarded favours　「捨てられた記念品」。favour はパーティーでお客に配られる景品や記念品、例えば紙製の帽子、リボン、飾り、クラッカーなどの類です。

4 I wouldn't ask too much of her　ニックの台詞です。wouldn't に「（僕だったら）」という仮定の意味を含み、ここでの ask は「願う、求める」の意味です。デイジーはギャツビーの昔の恋人で、今はトム・ブキャナンの妻ですが、ギャツビーとしては、デイジーにトムのことな

ど愛したことはない、と言ってもらいたい、そしてトム
との結婚生活をなかったことにして、二人でもう一度やり
直したい、と考えているのです。そんな夢のようなこ
とは無理だよ、などと正面切ってギャツビーに言うこと
はせず、こんなふうに控えめに述べているのが、いかに
もニックらしいですね。

4 ventured venture は「思いきって言う」。相手から
の反対がありそうな時などに、あえて意見を言う、とい
う感じです。実際にギャツビーは、すぐに反対していま
す。この部分の訳し方は、part 1 の he told me の注で
説明したのと同じです。

6 cried cry はいつも「大声で叫ぶ」とは限りません。
驚いて「あっ」と小声で言うのも、声を出さずに「心の
中で叫ぶ」のも、少しだけ声を大きくするのも cry で
す。

6 incredulously 「疑うように」。

7 why 「なぜ」ではありません。疑問詞ではなく、感
嘆詞・間投詞で、ここでは抗議の気持ちをこめて「何だ
って」くらいですが、他にもいろいろな感情をこめて発
せられます。

7 of course you can 「もちろんできるさ」。ここでギャ
ツビーは、一般論として「できるものだ」と言っている
ので、you はニックを指すのではなく、一般人称です。

9 lurking lurk は「潜む」で、普通は人や動物などがどこかに潜むという意味です。ここでは主語の「過去」がまるで生き物のように書かれていますね。

12 nodding determinedly 付帯状況を表す分詞構文で、「決然とうなずきながら」。

13 gathered gather は「推測する」。

15 perhaps 「ことによると」「ひょっとすると」「～かもしれない」くらいのニュアンスです。通例 perhaps は「不確実」を意味するので、確実度の高い probably と区別することが必要です。

15 had gone into loving Daisy 「デイジーを恋する気持ちになった(理由)」。

15 His life had been...was ニックがギャツビーの内心を推測しています。描出話法です(翻訳のための文法ワンポイントアドバイス「ポイント 6 話法に強くなろう」も参照してください)。最初の部分は「あれ以来、僕の人生は混乱し、乱れたものだったが、もしある出発点に戻り」というように、ニックがギャツビーになり代わって語るように訳せます。作者や語り手が客観的に述べているのでないことは、内容からわかります。

翻訳に挑戦！　訳例 part 2

　では、訳してみますね。最後の描出話法の訳し方にも注目してください。

　ギャツビーはそこで急に話をやめ、果物の皮や捨てられた記念品、踏みつぶされた花などで散らかった道を、行ったり来たりした。

　「僕なら彼女にあまり多くを期待しないな。過去はやり直せないんだから」僕は思いきってそう言った。

　「過去はやり直せないだって？」ギャツビーは、まるで信じられないという調子で声を大きくして言った。「だって、できるに決まっているじゃないか！」

　ギャツビーはしきりにあたりを見回した——まるで屋敷の陰の、もう少し手を伸ばせば届くどこかに、過去が潜んでいるかのように。

　「すべてを元のように戻してみせる」決然とうなずきながら、ギャツビーは言った。「彼女にもわかるだろう」

　ギャツビーは過去についていろいろと語った。これは何かを取り戻したがっている、ひょっとすると自分がデイジーを恋する気持ちになった理由をもう一度確かめたいのだ、と僕は推測した。あれ以来、自分の人生は混乱し、乱れてしまったが、もしある出発点に戻ってゆっく

りとやり直すことができれば、あれがどういうことだったのかを見つけられるに違いない、と。

結びに

　豊かさ、華やかさの陰に潜む悲しさを『グレート・ギャツビー』ほど見事に描いた小説は、他に例がないかもしれません。ギャツビーは、かつて自分が貧しかったために手に入れられなかった（と思っている）デイジーを、成功と富を手にした今なら振り向かせることができる、二人でやり直すことができる、と信じて疑いません。一方デイジーは、生まれながらの大富豪のトムを夫に持ち、小さな娘もいて、何一つ不自由のない暮らしをしているのですが、心に虚しさを感じています。トムには愛人がいるのです。そんな中で、ある日大きな事件が起き、ギャツビーの運命も変わってしまいます。その結果を見届けたニックは……？

　これから読もうとする方々のために、事件の詳細とギャツビーの運命、そしてニックの決断について、ここではふれないことにします。

　次第にスピードを上げて進んでいくストーリー、そして驚きの結末を確かめるためにも、この小説をぜひ読んでみてください。

翻訳のための文法
ワンポイントアドバイス

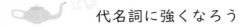

ポイント 1

代名詞に強くなろう

　英語の文章には代名詞がひんぱんに出てきます。とくに小説の翻訳であれば、人称代名詞の処理は一つの重要なポイントです。he や she が一ページにいったい何回登場することか！　もしそのすべてを機械的に「彼」「彼女」に置き換えたとしたら、日本語としては不自然になってしまうでしょう。日本語の「彼」「彼女」は、英語の he や she のように一度出てきた人物を指すことを主要な役目とする語というより、特別の意味（親しい異性の友人、恋人などの意味）も含みながら、より強調する目的で使うことが少なくないからです。日本語の文は主語なしでも成立しますので、いちいち「彼は」とか「彼女が」などと断らなくても済みます。

　初心者の訳文をより良くするためのコツとして、まず「彼」「彼女」をほとんど除いてみせるという、わかりやすい方法があります。「彼」「彼女」が姿を消しただけで、突然日本語の文章らしくなるのを目の当たりにするのは驚きです。

　でも、ただ消せばよいというものでもありません。男性二人以上、または女性二人以上が登場する場面の場合

などは、区別がつくよう、適切なところでそれぞれの名前を出すのが親切でしょう。省略が必要な時とそうでない時との見極めが肝心（かんじん）です。

　一人称と二人称の訳語については、翻訳の現場でいろいろと考えることがあります。

　レッスン2『トム・ソーヤーの冒険』のところでも、登場人物たちの"I"を「ぼく」にするか、「おれ」にするかという問題をお話ししましたが、この場合に限らず、日本語ではさまざまの訳語が考えられるからなのです。とくに女性の場合、"I"を「私」と漢字で書いてしまうと区別が伝えきれないので、「わたくし」「あたくし」「わたし」「あたし」などのどれにあたるのかをはっきりさせるために、漢字でなく平仮名表記にすることも多いのです。

　男女の場合でも「僕」「あなた」と呼び合う関係なのか、「俺」「おまえ」の関係なのか、そこに二人の間柄（あいだがら）が表れますね。次第に親しくなって、呼び方が最初と変わることも十分にあり得ます。英語の場合、原文は常にIとyouでしょうから、どう訳すかは翻訳者の解釈や工夫次第ということになりますね。

　また、theyの場合には、文中で何を指すのか、正し

く見定めてください。「彼ら」「それら」の区別だけではなく、they には、we や you と同様、「(一般に)人々」を指す用法(不定用法と呼ばれたりします)があります。この用法であれば、とくに日本語に訳出する必要はありません。例えば、

　They say that...「うわさでは…」

　They speak Spanish in Argentina.「アルゼンチンでは(＝アルゼンチンの人は)スペイン語を話す」

などの場合がそうです。

　そして、代名詞の中でも曲者なのは it です。前に出てきた名詞、あるいは文や節の内容を指す普通の用法の他に、天候・距離・時間を示す it、漠然とした状況をさす it、形式主語や形式目的語、強調構文などなど、it は守備範囲が広いのです。油断ができません！

　少しだけ例を挙げてみましょう。

　It is very cold today.「今日はとても寒い」(天候)

　It is seven miles to the town.「町まで7マイルあります」(距離)

　It is already seven.「もう7時です」(時間)

　It is all the same to us.「わたしたちにとっては同じことです」(漠然とした状況)

What is it? 「どうしたの？」（漠然とした状況。レッスン3「最後の一葉」より）

It is my duty to go there. 「そこへ行くのはわたしの義務です」（形式主語）

I thought it best to keep quiet. 「黙っているのが一番だと思いました」（形式目的語）

It was yesterday that I saw her. 「彼女を見たのは昨日のことです」（強調構文）

代名詞に強くなるためには、まず文法の復習が必要ですね。

あとは、英文を読み慣れることで得られる経験の積み重ねがものを言います！

ポイント 2

形容詞・副詞に強くなろう

　形容詞や副詞の訳なら辞書をまめに引けば大丈夫、と思うかもしれません。でも辞書を引いたら、context(コンテクスト、文中の前後関係。コーヒーブレイク１「コンテクストって何のこと？」も参照してください)を考慮して訳語を選ぶ必要があります。そしてその訳語の選択によって、書かれている人物のイメージが変わることもあり、それだけに訳者の責任は重大なのです。

　翻訳の途中で英和辞典を引き比べ、挙げられている訳語のどれもその箇所にそぐわない気がして、さらに英英辞典でその語の英語の説明を確認してニュアンスを探り、自分なりの訳語を見つけようとすることがありますが、このような悩みも、これまでの私の経験では形容詞と副詞の場合に多いように思います。英英辞典には、学習者用のやさしいものから、伝統のある大部のものまで、いろいろな種類があります。機会があれば、学校の図書室などで手にとってみてください(英英辞典だけでなく、各種の辞書や事典を使いこなせるようになるのも、翻訳には欠かせない訓練の一つです)。

訳語を選ぶ場合の例を挙げましょう。

たとえば hurriedly という副詞が文中にあったとします。「大急ぎで」という意味ですね。

Mary went to the door hurriedly.

和訳としては、「メアリーは大急ぎでドアに向かった」で合格ですが、この時はどんな状況だったのかを考えてみましょう。ちなみに他の訳語としては、「あわてて」「せかせかと」「いそいそと」などが考えられます。

例えばメアリーは、まだ誰も来ないと思って何かの用事をしていて、ノックの音で「あわてて」ドアに向かったのでしょうか。

あるいはもともと落ち着きのない人で、ノックにせきたてられるように「せかせかと」動いたのでしょうか。

それともこの時のメアリーは、誰か好きな人が来るのを待ち受けていて、「いそいそと」ドアを開けに行ったのでしょうか。

この hurriedly の日本語訳一つで、メアリーの気持ちや表情までが目に浮かぶではありませんか。前後をよく読み、人物の性格や心情まで理解して初めて、その文章に最適な翻訳ができるのではないかと思います。そしてその小さな積み重ねが、物語中の登場人物の全体像を作り上げていくのです。

作者に寄り添い、作者がどんな気落ちで個々の人物を

描いているかを推し測って、できるだけそれに沿った日本語で訳したいと手探りする——そんな時、私は翻訳者の責任の重さと大きなやりがいを感じます。

時制に強くなろう

　動詞の形によって過去・現在・未来の区別はつけられるのですから、別に問題はなさそうに見えますね。でも、ちょっと気をつけたいことがあります。

　例えば現在形について。物語や小説は基本的に過去形で語られるわけですが、ほぼ過去形で進んできた物語に、現在形が突然出てきたら？　そこには意味があるのですから、見逃したり無視したりしてはいけません。

　レッスン5『若草物語』の例文 part 2 にその例がありました。現在形になっている理由は一般論だから、でした。

　...mothers are always lovely to their children「子どもたちにとって母親は常に魅力的なものだ」

　一般的に真理だとされている内容、また日常の習慣である場合などには時制の一致の制約を受けないことを、英語の授業でも習うと思います。

　過去形の続いているところに過去完了形が出てくる時にも要注意です。

　レッスン4『ジェイン・エア』の例文 part 1 に、その

良い例があります。

　...he had hardly turned his eyes in my direction before.

となっているのを見てください。過去完了形ですから、ある時点より前のことを述べていますね。「それまで相手はほとんどわたしのほうに目を向けなかった」と述べています。

　それまでとその時とを区別している、大事な過去完了形です。過去のことだからとひとくくりにしていては、作者の言いたいことを正しくつかめなくなってしまいます。

　現在完了形の使い方も確認しておきましょう。過去形との違いが大事でしたね。

　現在完了形は、過去の出来事や状態が、何らかの形で現在と関連を持っていることを示していると習ったと思います。

　継続、経験、完了、結果――現在完了形の用法は、どれも現在とつながりがあるのです。

　例えば、レッスン８『グレート・ギャツビー』の例文part 1 で読んだ作品冒頭には、現在完了形がいくつか見られます。

　...I've been turning over in my mind ever since.（現

在完了進行形)「ずっと心の中で思いめぐらせてきた」(過去に始まった動作が今まで継続している)

　...all the people in this world haven't had the advantages that you've had. (現在完了形)「世の中のすべての人がお前のように恵まれて育ってきたわけではない」(現在までの経験を示す)

　...we've always been unusually communicative in a reserved way (現在完了形)「僕たちは常に控(ひか)えめなやり方で人並み以上に意思を通じ合わせてきた」(過去に始まった状態が今まで継続している)

　...that has opened up many curious natures to me and also made me the victim of not a few veteran bores. (現在完了形)「大勢の変わった性格の人たちを周りに招き寄せることになり、また退屈(たいくつ)きわまる連中の餌(え)食(じき)にもなったのである」(過去に始まった傾向が今まで継続している)

　現在完了形に内包されている、「現在まで続いていて、今もそうである」という意味を見逃さないようにしましょう。『グレート・ギャツビー』の語り手のニックは、これまでのこと、とくに父の教えを振り返りながら、同時に現在の自分について読者に説明しています。現在完了形の特徴的な使い方だと言えましょう。

ポイント 4

仮定法に強くなろう

「仮定法は苦手です！」という声を、教室などでよく耳にします。でも、あまり難しく考えることはありませんよ。実際の例文で確認してみましょう。

現在の事実に反する仮定を表すのが仮定法です。

If I were rich, I would buy a big house.「もし私がお金持ちだったら、大きな家を買うのに」

実際はお金持ちではないという事実があるわけで、「もしお金持ちだったら」という非現実、つまり空想または夢の世界でのことを述べています。

慣用表現としては、I wish のあとに仮定法を使うこともあります。

I wish I were a bird.「私が鳥だったらいいのに」

実際は鳥でないから、こう言えるわけですね。

レッスン 8『グレート・ギャツビー』の例文 part2 に出てきた、

I wouldn't ask too much of her.

という文章を考えてみましょう。

「もし僕だったら」「もし自分なら」という内容を示す

if 節はなく、if に相当する内容は I wouldn't の部分に潜んでいます。

　この場面の直前でギャツビーは、デイジーに「トムのことなど一度だって愛したことはない」と言ってもらいたい、そしてトムとの結婚生活をなかったことにして、二人でもう一度やり直したい、と考えていると書かれています。それに対して、「僕ならデイジーにそんなことは期待しないだろう」という仮定の言い方で、ニックは控えめに、ニックらしい表現で自分の意見を述べているのです。

ポイント 5

分詞構文に強くなろう

　仮定法と並んで、分詞構文もよく苦手とされる文法事項の一つです。もともと文語的な表現ですから、日常的な英文や初心者が読む英文にあまり登場しないせいもあるかもしれません。「理由」「時」「付帯状況」「条件」など、用法がいくつもあって見分けにくい、とか、分詞構文は基本的に主文と主語が同じはずなのに、「独立分詞構文」という、主語が一致しないタイプもあってややこしい、などという声も聞きます。

　でも、二つの節を滑らかにつなげることができる点が好まれるのか、小説には分詞構文がよく出てきます。用法が見分けにくい、常に明確に区別できるとは限らない、ということは、言い換えればあいまいだということで、このあいまいさを好む作家もいるように思えるのです。出会った時に困らないように、ここで分詞構文に強くなっておきましょう。

　分詞構文について、文法書などでは「分詞を主要素とする語群が文全体を修飾して副詞的に用いられる場合を分詞構文という」と説明されています。また、主節の主

語と異なる意味上の主語をもつ分詞構文は独立分詞構文と呼ばれて区別されています。

　理由を表す分詞構文は、例えば次のようなものです。

　Being tired, I sat down on the bench. 「疲れたのでベンチに腰かけた」

　時を表す場合としては、

　Seeing me, Sue waved her hand. 「わたしを見ると、スーは手を振った」

という文などがそうですね。

　意味関係は文脈（コンテクスト）によって決まるので、それほど神経質になることはありません。

　例えば、レッスン7「黒猫」の例文 part 1 に出てきた次のような分詞構文、

　Observing my partiality for domestic pets...

では、「（妻が）わたしの動物好きを見てとって」あるいは「動物好きを見てとるとすぐ」というふうに、理由とも時とも解釈できます。

　文法書には、分詞構文は付帯状況（その時の状態）を示すものが一番多いとも説明されており、確かに私も経験上、それを実感します。

例えば、レッスン6「まだらの紐」の例文 part 2 冒頭
にある分詞構文、

I stared at it horror-stricken, not knowing what
was about to issue from it.

の場合、「何が出てくるかわからなかったので」と理由
にとることもできますし、「何が出てくるかわからず（＝
わからない状態で）」ともとれます。

　「まだらの紐」例文 part 2 にはまた、付帯状況を示す
独立分詞構文の、わかりやすい例も出てきました。次の
センテンスです。

By the light of the corridor-lamp I saw my sister
appear at the opening, her face blanched with ter-
ror, her hands groping for help, her whole figure
swaying to and fro like that of a drunkard.

　主文の内容に対して、同時的、付帯的な内容を表す副
詞句にも別に「主語＋述部」の関係が含まれているのが、
このような独立分詞構文です。「（姉が）顔は〜、両手は
〜、身体全体は〜の状態で（戸口に現れるのをわたしは
見た）」というふうに読むことができます。一文は長く
なりますが、文の構造が複雑になるわけではなく、ここ
もむしろどんどん読めてしまうのではないでしょうか。

話法に強くなろう

　話法とは？　直接話法と間接話法は知っていますね？

　作中の人物の言ったことをそのまま記すのが直接話法、話し手・書き手の言葉に直して伝えるのが間接話法です。

　直接話法では発言がそのまま引用符" "（日本語ならカギかっこ「　」)に入れて記されるのでわかりやすいのですが、そればかり続くと場合によってはだらだらした感じになります。○○がそう言いました、○○がこう答えました、などの伝達部分も、少々邪魔に感じられてしまいます。

　一方、間接話法では、発言の内容が要領よく伝えられるメリットがある一方で、発言の微妙なニュアンスが伝わりにくいというデメリットがあります。

　そのどちらでもなく、よく小説に出てくるのは、描出話法（represented speech）ともいって、作中人物の気持ち、つまり疑問・思い・感想などを地の文の形のまま述べる書き方です。心理描写の手法で、文が滑らかに進んでいくので、小説家には好まれるのでしょう。読者にとっても登場人物との距離が縮まり、物語にいっそう引きこまれます。

レッスン8『グレート・ギャツビー』の例文 part 2 に、次のようなセンテンスがありました。

His life had been confused and disordered since then, but if he could once return to a certain starting place and go over it all slowly, he could find out what that thing was...

　これは作者や語り手による客観的な描写ではありません。華やかなパーティーの終わった後にギャツビーがこれまでを振り返って、心の中で思っていることです。ニックがそれを推測し、ギャツビーの身になって語っているのです。それは内容からもわかりますし、ある程度英語に慣れた読者なら、口語的でやや漠然とした言い方からもわかります。

　「あれ以来、自分の人生は混乱し、乱れてしまったが、もしある出発点に戻ってゆっくりとやり直すことができれば、あれがどういうことだったのかを見つけられるに違いない、と」

　この訳例の通り、この場合の he は「彼」とは訳しません。

　描出話法は、前後からも判断できることが多く、慣れると自然に気がつくものなのですよ。

　レッスン3「最後の一葉」の例文 part 1 にも、次のよ

うな文がありました。

What was there to count?

「数えるべき何がそこにあっただろう」と、作者による客観的な文章として、普通の地の文のように訳してしまうこともできるかもしれません。でもこの場合、一見何もないような窓外の光景の中に、実はこの一編で重要な役目を果たすツタの葉が存在することは、作者が一番よく知っているはずですね。ここは、この瞬間に初めてそのことに注目した、スーの心の中の独り言と解釈すべきだと私は思います。「いったい何を数えているのかしら」──これなら直前のセンテンスともつながりますね。

このように、描出話法かどうか、やや微妙なケースがあるのは事実です。そんな場合、訳者は自分の責任で（？！）判断しなくてはなりません。話法に限らず、翻訳の過程においては、訳者の解釈や判断の問われる場合があることを覚悟しておいてくださいね。自分の解釈を訳文に出すことは、翻訳者の義務であると同時に権利でもある、と私は考えています。解釈をまったく含めずに他の言語に訳すことはおそらく不可能ですし、解釈を含めるのであればどんな時も自信をもって、それをはっきりと出すのがよいのではないでしょうか。

もっと読みたい・学びたい人のために

❦ 本書で取り上げた小説全体を読みたい人のために、これまで多数出版されてきた翻訳の中で、読みやすく手に入れやすい文庫版を紹介します。お気に入りの作品、興味を感じた作品は、異なる翻訳を読み比べてみるのも楽しいですよ。

『あしながおじさん』
岩波少年文庫（谷口由美子訳、2002年）
新潮文庫（岩本正恵訳、2017年）など。

『トム・ソーヤーの冒険』
岩波少年文庫（上下巻、石井桃子訳、2001年）
新潮文庫（柴田元幸訳、2012年）
光文社古典新訳文庫（土屋京子訳、2012年）など。

「最後の一葉」
新潮文庫『O・ヘンリ短編集（三）』（大久保康雄訳、1969年）
岩波文庫『オー・ヘンリー傑作選』（大津栄一郎訳、

　1979 年)

新潮文庫『最後のひと葉　O・ヘンリー傑作選 II』(小川
　高義訳、2015 年)

角川文庫『オー・ヘンリー傑作集 2　最後のひと葉』(越
　前敏弥訳、2021 年)など。

『ジェイン・エア』

新潮文庫(上下巻、大久保康雄訳、1953 年)

集英社文庫(吉田健一訳、1979 年)

光文社古典新訳文庫(上下巻、小尾芙佐訳、2006 年)

岩波文庫(上下巻、河島弘美訳、2013 年)など。

『若草物語』

新潮文庫(松本恵子訳、1986 年)

角川文庫(吉田勝江訳、2008 年)

岩波少年文庫(上下巻、海都洋子訳、2013 年)

光文社古典新訳文庫(麻生九美訳、2017 年)など。

「まだらの紐」

新潮文庫『シャーロック・ホームズの冒険』(延原謙訳、
　1953 年)

光文社文庫『シャーロック・ホームズの冒険』(日暮雅通
　訳、2006 年)

角川文庫『シャーロック・ホームズの冒険』(石田文子訳、2010年)など。

「黒猫」
岩波文庫『黒猫・モルグ街の殺人事件 他五篇』(中野好夫訳、1978年)
集英社文庫『黒猫』(富士川義之訳、1992年)
光文社古典新訳文庫『黒猫／モルグ街の殺人』(小川高義訳、2013年)
新潮文庫『黒猫・アッシャー家の崩壊 ポー短編集I ゴシック編』(巽孝之訳、2009年)
角川文庫『ポー傑作選1 ゴシックホラー編 黒猫』(河合祥一郎訳、2022年)など。

『グレート・ギャツビー』
新潮文庫(野崎孝訳、1989年)
光文社古典新訳文庫(小川高義訳、2009年)
角川文庫(大貫三郎訳、2022年)など。

❦ それぞれの作品全体を英語の原文で読みたい人は、本書で引用した本を挙げた、巻末の「原書一覧」を参照してください。

　そこに挙げられている本以外にも、いろいろな版があ

ります。いずれの作品も著作権が切れているので、インターネット上で無料で読むことができるデジタルライブラリーもあります。読みやすい形を選んでください。

❦ 文学作品を解説付きでもう少し英語で読みたい人のためには、次の2冊があります。

河島弘美『動物で読むアメリカ文学案内』(岩波ジュニア
　　新書、2012年)

佐藤和哉『物語、英語で読んでみない?』(岩波ジュニア
　　スタートブックス、2023年)

　　　＊この本は英語学習者のためにやさしい英語で書き
　　　直した「retold版」の英文も使っているので、本
　　　書の英語が難しいと感じた人にもお勧めです。

❦ 原文を自力で読み、翻訳に挑戦したい人は、まず英語の読解力をつけましょう。方法はいろいろあります。

　中学・高校の教科書での勉強をさらに深め、確かなものにしたい人、また、英文法の総復習をしたい大学生や大人の方におすすめしたいのは、ていねいな説明のある、次の2冊です。このどちらか1冊があれば、文法上の疑問はほとんどすべて解決します。

江川泰一郎『英文法解説』(金子書房、1991年)

安井稔・安井泉『英文法総覧　大改訂新版』(開拓社、

2022 年）

❦ また、教科書や参考書に加えて、常に辞書を活用しましょう。紙の辞書、電子辞書、それぞれに長所と短所があります。日本で出されている英和辞典はどれもよくできていますので、気に入ったものを選んで大丈夫です。

　辞書は常に手元に置いてめんどうがらずに引く、引いたら用法や例文にも目を通す、場合によっては他の辞書、事典も引き比べるなどの心がけが大事です。

　英和辞典以外にも、熟語辞典、口語・俗語辞典、英英辞典など、必要に応じて使いましょう。

❦ 基礎力をつけたら、ステップアップのために岩波ジュニア新書の中から以下の 3 冊をお勧めします。収められている英文を日本語訳とともに読むだけでも楽しめます。多くの小説を翻訳している著者の行方昭夫氏には他にも多数の英語学習についての著書があり、それらは英語の勉強にとても役立ちます。

行方昭夫『英語の発想がよくわかる表現 50』（岩波ジュニア新書、2005 年）

行方昭夫『解釈につよくなるための英文 50』（岩波ジュニア新書、2012 年）

行方昭夫『読解力をきたえる英語名文 30』（岩波ジュニ

ア新書、2022 年)

🌱翻訳について書かれた本は数えきれないほどあります
が、勉強になるだけでなく、読んでおもしろい本をい
くつかご紹介します。現在書店で入手できない本もあり
ますが、図書館などで探してみてください。

岩波書店編集部編『翻訳家の仕事』(岩波新書、2006 年)

小鷹信光『翻訳という仕事』(ちくま文庫、2001 年)

中村保男『新装版　英和翻訳表現辞典』(研究社、2019
　　年)

安西徹雄『翻訳英文法　訳し方のルール』(バベル・プレ
　　ス、2008 年)

別宮貞徳『ステップアップ翻訳講座——翻訳者にも説明
　　責任が』(ちくま学芸文庫、2011 年)

清水俊二『映画字幕^{スーパー}の作り方教えます』(文春文庫、1988
　　年)

原書一覧

8編の名作の引用に本書で使用した原文の出典は以下の通りです。

レッスン 1　Daddy-Long-Legs
Jean Webster, *Daddy-Long-Legs and Dear Enemy*. Penguin Classics, 2004

レッスン 2　The Adventures of Tom Sawyer
Mark Twain, *The Adventures of Tom Sawyer*. Penguin Classics, 2006

レッスン 3　The Last Leaf
O. Henry, *The Gift of the Magi and Other Short Stories*. Dover Thrift Editions, 1992

レッスン 4　Jane Eyre
Charlotte Brontë, *Jane Eyre*. Penguin Classics, 2003

レッスン 5　Little Women
Louisa May Alcott, *Little Women*. Penguin Classics, 1989

レッスン 6　The Adventure of the Speckled Band
Arthur Conan Doyle, *The Sherlock Holmes Mysteries*. Signet Classics, 2014

レッスン 7　The Black Cat

Edgar Allan Poe, *Selected Writings of Edgar Allan Poe*. Penguin English Library, 1974

レッスン 8　The Great Gatsby

F. Scott Fitzgerald, *The Great Gatsby*. Penguin Modern Classics, 1974

＊英語の引用符について

英語の引用符にはシングルクオーテーション（' '）とダブルクオーテーション（" "）があり、英米で使い方が多少異なることはあるものの厳格な区別はなく、意味にも違いはありません。本書では引用元の本の表記に従っています。

おわりに

　八つの傑作に英語でふれてみて、いかがでしたか？

　原文の引用が短くて物足りないと感じた人、少なくないと思います。数ある名作の中からわずか8編、それもほんの一部だけしか紹介できないのは本当に残念でした。お見せしたい箇所が数えきれないほどあって、1冊の新書にとても載せきれないことはよくわかっていたのに、です。でも本書が、もっと読んでみたいと感じるきっかけになったとしたら、とてもうれしく思います。

　翻訳という作業についてはどうでしょう。英語を日本語に翻訳することのおもしろさと難しさ、その両方を実感していただけたことを願っています。翻訳しながら、英語原文に含まれているニュアンスを味わい、原作への理解がいっそう深まったとすれば、それは何よりの収穫です。

　本文中の作品の英語が難しすぎて自分にはとても翻訳は無理だと感じた人に、あらためて申し上げておきたいことがあります。それは、本書の引用文が文学的な、まさに生の英文であるため、難しいのも当然だということ

です。この本では、本物の原文にふれて訳してみるという経験、作者が渾身の力で書き上げた名作の一節を直接読むという経験を、皆さんに提供したかったのです。ちなみに、絵本や児童書、初心者の学習用に英語でやさしく簡略に書き直した物語（「retold 版」「graded readers」などと呼ばれます）であれば、もっと容易にスピードを上げて読めますので、それらの多読・速読は英語力をつけるための、一つのよい方法です。

　これからも英語の勉強を続けていけば、きっと皆さんは本書に示したような説明をあまり必要としないくらいに力がつくでしょう。その先をめざしたい、という気持ちが芽生えたら、将来ぜひ翻訳家になってください。楽しみにしています。また、必ずしも翻訳を仕事とする道を選ばなくとも、名作の素晴らしさ、読書の楽しさを知る人の人生は、そうでない人生とは比べものにならないほど深く豊かで、充実したものになると私は信じています。本を一生の友として、幸せな日々を重ねていかれますように。

　一人の人間が現実に生きることのできる時間と場所には限りがあります。でも、本の世界は果てしなく広がっていて、訪れてくる人を誰でも迎え入れようと待っています。ページを開いてひととき日常を離れ、見知らぬ世

界に飛び込んで想像力を駆使する喜びは、他では得難い
ものでしょう。そんな心躍る大冒険を、読書によってど
うぞ体験してください。

　私自身のこれまでの英語学習の歩みと翻訳の仕事とを
振り返る機会ともなった本書の執筆にあたり、中学校入
学以来、基礎からしっかりと英語を教えてくださった先
生方に、また大学でさらに深い読解・解釈から翻訳へと
導いてくださった先生方に、心からの感謝を捧げます。
　また、岩波書店ジュニア新書編集部の村松真理さんに
は企画の段階から大変お世話になり、読みやすくわかり
やすい一冊にするための貴重な助言をたくさんいただき
ました。厚くお礼申し上げます。

　2024 年 1 月

河 島 弘 美

河島弘美

東京都生まれ．東京大学大学院比較文学比較文化修士課
程修了．元東洋学園大学教授．専門はアメリカ文学，比
較文学．著書に『小泉八雲事典』(共著，恒文社)，『ラフ
カディオ・ハーン──日本のこころを描く』，『動物で読む
アメリカ文学案内』(以上，岩波ジュニア新書)など．翻訳書
に『母なる大地　父なる空』(晶文社)，『嵐が丘』，『ジェ
イン・エア』，『ワシントン・スクエア』，『とんがりモミ
の木の郷　他五篇』，『無垢の時代』(以上，岩波文庫)などが
ある．

翻訳に挑戦！ 名作の英語にふれる
岩波ジュニア新書 983

2024 年 4 月 19 日　第 1 刷発行

著　者　河島弘美

発行者　坂本政謙

発行所　株式会社　岩波書店
〒101-8002 東京都千代田区一ツ橋 2-5-5

案内 03-5210-4000　営業部 03-5210-4111
ジュニア新書編集部 03-5210-4065
https://www.iwanami.co.jp/

印刷製本・法令印刷　カバー・精興社

岩波ジュニア新書の発足に際して

　きみたち若い世代は人生の出発点に立っています。きみたちの未来は大きな可能性に満ち、陽春の日のようにひかり輝いています。勉学に体力づくりに、明るくはつらつとした日々を送っていることでしょう。

　しかしながら、現代の社会は、また、さまざまな矛盾をはらんでいます。営々として築かれた人類の歴史のなかで、幾千億の先達たちの英知と努力によって、未知が究明され、人類の進歩がもたらされ、大きく文化として蓄積されてきました。にもかかわらず現代は、核戦争による人類絶滅の危機、貧富の差をはじめとするさまざまな人間的不平等、社会と科学の発展が一方においてもたらした環境の破壊、エネルギーや食糧問題の不安等々、来るべき二十一世紀を前にして、解決を迫られているたくさんの大きな課題がひしめいています。現実の世界はきわめて厳しく、人類の前途と発展のためには、きみたちの新しい英知と真摯な努力が切実に必要とされています。

　きみたちの明日の運命が託されています。ですから、たとえば現在の学校で生じているささいな「学力」の差、あるいは家庭環境などによる条件の違いにとらわれて、自分の将来を見限ったりはしないでほしいと思います。個々人の能力とか才能は、いつどこで開花するか計り知れないものがありますし、努力と鍛練の積み重ねの上にこそ切り開かれるものですから、簡単に可能性を放棄したり、容易に「現実」と妥協したりすることのないようにと願っています。

　わたしたちは、これから人生を歩むきみたちが、生きることのほんとうの意味を問い、大きく明日をひらくことを心から期待して、ここに新たに岩波ジュニア新書を創刊します。現実に立ち向かうために必要とする知性、豊かな感性と想像力を、きみたちが自らのなかに育てるのに役立ててもらえるよう、すぐれた執筆者による適切な話題を、豊富な写真や挿絵とともに書き下ろしで提供します。若い世代の良き話し相手として、このシリーズを注目してください。わたしたちもまた、きみたちの明日に刮目しています。（一九七九年六月）